Crématorium Circus
de Roxanne Bouchard
est le neuf cent quatre-vingt-unième ouvrage
publié chez
VLB ÉDITEUR.

D1057168

VLB ÉDITEUR
Groupe Ville-Marie Littérature inc.
Une société de Québecor Média
1010, rue de La Gauchetière Est
Montréal (Québec) H2L 2N5
Tél. : 514 523-1182
Téléc. : 514 282-7530
Courriel : vml@groupevml.com

Vice-président à l'édition : Martin Balthazar

Éditeur : Stéphane Berthomet
Direction littéraire : Martin Bélanger
Design de la couverture : Julien Del Busso
Photo de l'auteure : Mathieu Rivard

Catalogage avant publication de Bibliothèque et Archives
nationales du Québec et Bibliothèque et Archives Canada
Bouchard, Roxanne, 1972-
    Crématorium Circus
    (L'orphéon)
    ISBN 978-2-89649-421-7
    I. Titre.
PS8603.O924C73 2012   C843'.6   C2012-941917-6
PS9603.O924C73 2012

Distributeur :
LES MESSAGERIES ADP*
2315, rue de la Province
Longueuil (Québec) J4G 1G4
Tél. : 450 640-1234
Téléc. : 450 674-6237
*filiale du Groupe Sogides inc.,
 filiale de Québecor Média inc.

Pour en savoir davantage sur nos publications, visitez notre site : editionsvlb.com
Autres sites à visiter : editionshexagone.com · editionstypo.com

Dépôt légal : 4ᵉ trimestre 2012
Bibliothèque et Archives nationales du Québec, 2012
Bibliothèque et Archives Canada
© VLB éditeur, 2012
Tous droits réservés pour tous pays
ISBN 978-2-89649-421-7

L'auteure tient à remercier le Conseil des arts du Canada pour l'aide apportée à la création de ce livre.
VLB éditeur bénéficie du soutien de la Société de développement des entreprises culturelles du
Québec (SODEC) pour son programme d'édition.
Gouvernement du Québec – Programme de crédit d'impôt pour l'édition de livres – Gestion SODEC.
Nous reconnaissons l'aide financière du gouvernement du Canada par l'entremise du Fonds du livre
du Canada pour nos activités d'édition.
Nous remercions le Conseil des Arts du Canada de l'aide accordée à notre programme de
publication.

CRÉMATORIUM CIRCUS

De la même auteure,
procurez-vous sans tarder :

Whisky et paraboles
Prix Robert-Cliche 2005
Prix de la relève Archambault 2007
VLB éditeur, 2005.

Pour en savoir davantage sur
Gonores Minella et son fils chéri :

La gifle
Ou l'art de donner une gifle réussie
à un homme qui l'a méritée.
Coups de tête, 2007.

Dans la même série

Stéphane Dompierre, *Corax*.
Geneviève Jannelle, *Odorama*.
Véronique Marcotte, *Coïts* (à paraître en janvier 2013).
Patrick Senécal, *Quinze minutes* (à paraître en janvier 2013).

Roxanne Bouchard

L'ORPHÉON

CRÉMATORIUM CIRCUS

vlb éditeur

Une société de Québecor Média

À Pierre-Luc,
thanatologue et croque-mitaine

1

DIMANCHE
BOUCHERIE ET POMPES FUNÈBRES

Quoi qu'on en pense, les croque-morts sont eux aussi des êtres humains. Certains ont même l'ambition farfelue d'acquérir de la classe, du goût, de la culture, du savoir-faire.

C'est le cas d'Ernesto DaSiggi, propriétaire du Phénix crématorium (ISO 9004), qui, cette semaine, a décidé de devenir quelqu'un.

Pourquoi cette semaine ?

Pour une raison que je qualifierais d'anodine.

Imaginez-vous donc que le dernier numéro de la revue féministe *Féminine Engeance* est sorti hier en kiosque et a consacré sa chronique « Décor d'Elles » au Phénix (ISO 9004). L'article devrait normalement enchanter le propriétaire du crématorium, non ? Non. Car devinez qui est mis en vedette dans cet article ? Hé oui :

sa femme et uniquement sa femme ! Quand elle a eu l'aplomb sordide de lui présenter la revue, comment pensez-vous qu'Ernesto DaSiggi s'est senti ? Sans compter qu'elle a effrontément, pour l'occasion, repris son patronyme de jeune fille ! Comment a-t-elle osé lui faire ça, à lui qui a changé de nom pour elle ? Parce que, si vous pensez qu'il est italien, vous vous trompez, lecteur ; Ernesto DaSiggi n'a pas plus d'Italie dans le corps que vous ou moi. En fait, il vient d'à côté.

De juste en bas de la côte.

Originaire de l'extrémité nord de la ville, Ernesto DaSiggi, né Ernest Sigouin, a grandi comme tous les enfants, avec des jeans sales, des cheveux gras, des boutons abondants et un vélo bringuebalant.

Son grand-père avait, avant la Deuxième Guerre, ouvert la Boucherie Ernest Sigouin, charcuterie fine et cuisine maison. Il l'avait léguée à son fils, aussi nommé Ernest Sigouin (car, disait le grand-père, « c'est plus facile d'y donner ce nom-là que de changer l'affiche ! »), qui avait lui-même baptisé son fils Ernest Sigouin, dans l'espoir que le découpage viandeux, les têtes fromagées et les jarrets rôtis séduiraient une nouvelle génération.

Pour des raisons commerciales, les hommes se passaient le couteau autant que le prénom, et le métier n'était pas si mal offert, car la Boucherie Ernest Sigouin, plats marinés et cuisine maison, faisait aux dires de tous d'assez bonnes affaires.

Ernest Sigouin, petit-fils du premier et protagoniste de ce roman, a probablement été conçu dans l'arrière-boutique.

En effet, fuyant le mariage autant que les légumes verts, Ernest Sigouin, père de notre héros et découpeur de viandes, avait acquis, entre deux coupes charnues, une philosophie toute gustative de l'amour et des femmes. On le voyait souvent campé derrière son étal, glissant délicatement sa lame le long d'une jambe de porc ou d'une poitrine de pintade en offrant gratuitement aux ados assoiffés de conseils son savoir sur sa spécialité : l'art de faire frémir les chairs féminines.

« Marier une femme, c'est un mauvais investissement. La monogamie, c'est comme si je vendais rien qu'une sorte de viande : elle aurait beau être bonne, le client finirait par se tanner ! Non. Le mieux, c'est de faire comme moi : de rester vieux garçon. Pis vous vous arrangez pour avoir tout le temps plus d'une p'tite poulette au frais — comme ça, vous vous

ferez jamais prendre le cœur dans une bretelle
de soutien-gorge ! »

Et ça marchait. Pour lui, du moins. Entre les
côtes de bœuf, les filets de porc et les poitrines
de poulet qu'il offrait en cadeaux alléchants,
Ernest Sigouin caressait une main mariée par-
ci, un poignet blanc par-là ; effleurait le gras
dodu d'un tour de taille, puis retroussait jupes
et jupons derrière le comptoir des viandes ou,
carrément, dans le frigidaire des carcasses
suspendues.

Ernest Sigouin, fils et antihéros de ce roman, est ainsi le rejeton d'un de ces joyeux bra-
connages. Abandonné bébé près du comptoir
des plats préparés par une mère aussi anonyme
que vite enfuie, il avait été adopté illico par
le gras boucher qui ne tenta jamais au grand
jamais de nier sa paternité. Au contraire, ce
dernier offrit en grande pompe des cigares à
tout le monde, vanta les ressemblances (grandes
oreilles, front large) et se chargea du nourris-
son à grandes cuillerées de chair à saucisse.

Et avec enthousiasme.

Des enfants, Ernest Sigouin boucher père
en aurait volontiers accepté treize à la dou-
zaine. L'ennui, c'est que les femmes adultères
n'étaient pas plus enclines jadis qu'aujourd'hui
à reconnaître la paternité du boucher. Aussi

voyait-il grandir les bambins de son quartier en leur offrant des gendarmes gratuits, en les appelant affectueusement « mon garçon » et en s'émerveillant discrètement devant leurs grandes oreilles et leur front très large.

Sans y réfléchir ou parce que son nom était écrit sur l'affiche et que la nonchalance l'emporte souvent sur le désir d'indépendance, Ernest Sigouin troisième du nom devint peu à peu boucher. Derrière l'étal, son père lui enseigna le métier de bouche autant que l'anatomie, la biologie autant que la philosophie. Et l'amour, bien sûr.

Car le commerce charnu du père se poursuivit longtemps, et gaiement. Peu difficile en ce qui concernait l'âge, le gabarit et même l'odeur de la cliente dans le besoin, le gras boucher était reconnu autant pour son manque de subtilité que pour sa gaillarde verdeur. À vrai dire, les femmes l'aimaient.

— Mon garçon, tu vas me dire que tous mes p'tits cadeaux coûtent cher. Ben pas tant que ça ! Sais-tu combien ça coûte d'avoir une femme à temps plein dans son salon ?

Et il passait un ruban rouge autour d'un carré d'agneau écarlate.

Élevé dans autant d'appétence masculine, Ernest Sigouin fils eut quant à lui une certaine difficulté à développer cet appétit cannibale pour les chairs replètes des fillettes du coin. Manquant d'allant pour l'art du courtisage, il conservait, à l'orée de sa mi-vingtaine, un pucelage encore intact. Malgré l'insistance — pour ne pas dire l'acharnement — de quelques demoiselles, il ne se laissait approcher par aucune. Elles avaient, trouvait-il, les oreilles trop grandes et le front trop large.

La seule qui lui plaisait, c'était Frugère Lalancette.

Arrivée tard dans le quartier, ni grande ni baraquée, elle avait la chemisette un peu ennuyante à reluquer, c'est vrai, mais possédait une petite moue raffinée qui faisait craquer les brochettes marinées d'Ernest Sigouin boucher fils.

Or, un après-midi, pendant que le débiteur de viande emballait dans un silence timide la côte levée de Frugère Lalancette, Oscar Bellemare entra dans la boucherie. Oscar Bellemare (ainsi nommé en l'honneur d'un célèbre personnage de télésérie) avait au moins quinze ans de plus qu'Ernest Sigouin boucher fils et donc vingt ans de différence avec la douce Frugère Lalancette. Il mangeait son steak maigre, son saucisson dur et ses brochettes sans marinade — rien pour se faire aimer des bouchers.

Comment expliquer que ce maigrelet aux mains blanches, au visage cireux et à l'âge avancé fasse ainsi tourner la tête de la tendre jeune fille ? Car c'est ce qui arriva, et Sigouin autant père que fils en restèrent ébahis.

Elle se garrocha littéralement devant lui.

— Monsieur Bellemare ! J'ai lu le livre dont vous m'avez parlé ! Tchekhov ! Quel auteur !!

L'autre pinça les lèvres, salua.

— Mademoiselle Lalancette. Qu'avez-vous lu, je vous le demande ? *La mouette*, je suppose...

Elle hocha énergiquement la tête, prit un accent mi-français mi-nulle-part, pseudo-intello.

— C'est cela !

— *La mouette*. C'est d'une sobriété qui touche l'humanité et cette humanité se meurt, il faut le dire : se meurt !

Oscar Bellemare, client de toujours et croque-mort de métier, se tourna vers le boucher et commanda.

— Comme d'habitude, je vous le demande. Sans gras et sans épices.

Puis il revint vers une Frugère Lalancette toujours pantoise.

— Il y a, chez Tchekhov, des gens englués dans leurs habitudes, sclérosés dans leur quotidien trop sobre. Et de quoi sont-ils faits, je vous le demande ? De petits défauts, de petites qualités, de ces riens humains qui finissent, disons-le franchement, par les faire mourir !

— C'est cela, oui ! C'est tellement cela !

Elle pâmoisait, carrément.

— Mademoiselle Frugère...

Ernest Sigouin fils tentait vainement d'attirer l'attention de la belle, offrant un saucisson finement enveloppé d'un papier de soie, mais elle ne le voyait pas, tendue qu'elle était vers le sec Bellemare.

Ernest Sigouin père et maître d'œuvre s'en mêla :

— Croque-mort ! Vos abats sont prêts !

Oscar Bellemare passa devant Frugère Lalancette, paya devant Frugère Lalancette et s'apprêta à sortir devant Frugère Lalancette — désespérée de le voir partir si vite, trop vite...

— J'irai chez vous, ce soir !

Aller chez Oscar Bellemare ?! Ernest Sigouin boucher père eut un rire gras. Choqué, outré par une absurdité publique aussi grossière, le croque-mort rectifia la situation d'un trait.

— Où, mademoiselle Lalancette, je vous le demande, où irez-vous ? Vous irez chez ma mère ! Elle habite au rez-de-chaussée et j'habite à l'étage. Ne vous fourvoyez pas !

Frugère Lalancette rougit et Oscar Bellemare sortit.

Mortifiée, la belle compta sa monnaie en s'enfonçant la tête dans son portefeuille. Ernest Sigouin père s'éloigna pour laisser le champ libre à son fils, mais ce dernier, manquant de pratique et d'élan, tira sa flèche cupidonnée dans l'eau.

— Vous suivez des cours de dessin chez Mme Bellemare ?

Trop tard : Frugère Lalancette s'était déjà enfuie.

Sigouin père regarda Sigouin fils d'un œil contrarié : son seul enfant légitimé manquerait-il toujours d'audace ? De virilité ?

— Mon garçon, m'as te dire une affaire : en business comme en amour, faut des couilles. Ça, des couilles, t'en as ou t'en as pas — mais moi, j'peux pas t'en inventer !

Impuissant, le fils se défendit comme il put.

— Cette fille-là, elle est trop cultivée pour moi !

— La culture, c'est comme du gras de lard : moins t'en as, plus tu l'étends !

Ô rage ! Ô désespoir ! Ô gras de lard ennemi ! Le couteau d'Ernest junior tremblait.

— Pis qu'est-ce que tu fais quand t'en as pas pantoute ?

— Fais semblant, mon garçon !

— Semblant de quoi ?

— D'être cultivé ! Conseille des livres que t'as pas lus, aime les affaires qui ressemblent à rien, parle avec un semblant d'accent étranger, bois du vin cher, lance des questions pseudo-savantes sur le sens de l'existence pis les autres vont croire que t'es brillant !

— Pis si on me demande ce que je pense de ça ?

— De quoi ?

— De l'art, des livres...

— Tu réponds : « J'aime quand c'est à la fois moderne et authentique » en les regardant droit dans les yeux, comme si c'était une évidence banale, pis tu bois une gorgée de vin en ayant l'air profond.

— C'est n'importe quoi !

— Mon garçon, tu veux-tu séduire la p'tite Lalancette ou pas ?

— Oui... mais si je me plante ?

— Invente-toi des couilles, mon garçon, pis ça presse !

Après ce brave conseil — qui s'avérerait un jour le plus précieux des héritages —, Ernest Sigouin senior retourna nonchalamment à son steak haché mi-gras en chantonnant sur les cuisses d'une jolie bergère, laissant l'apprenti mijoter un plan épicé.

Quand Frugère Lalancette revint, quelques jours plus tard, l'aspirant séducteur était prêt.

Il avait déposé un livre d'art incompréhensible sur le coin du comptoir — la biographie illustrée d'un artiste abstrait au nom bizarre qu'il avait achetée à la bouquinerie. Elle la remarqua immédiatement.

— Oh ! Un livre sur Kandinsky !

— Excusez-moi, j'aurais pas dû me laisser traîner...

— Vous aimez l'art abstrait, monsieur Sigouin ?

Il la regarda droit dans les yeux.

— J'aime quand c'est à la fois moderne et authentique.

Six mois plus tard, ils se mariaient.

Depuis, que n'a-t-il pas fait pour sa femme ? Pour elle, il a vendu (dès la mort d'Ernest Sigouin boucher père) le commerce paternel ; pour elle, il a ouvert (sur les conseils d'Oscar Bellemare, l'ancienne flamme de Frugère Lalancette !) ce crématorium — il l'a même laissé choisir l'emplacement, le concept, la décoration ! Et ce nom, « Ernesto DaSiggi » ? Encore elle ! Elle disait que l'Italie était la capitale des arts et que « Sigouin » sonnait trop terroir ! Bien sûr, ce nouveau patronyme lui donne de la classe, il en a bien conscience, mais... Mais il se sent manipulé, voilà !

La sagesse populaire apprend à l'homme qu'acquiescer aux demandes (même extravagantes) de sa dulcinée entre dans la normalité des choses ; c'est ainsi que l'espèce humaine est arrivée à survivre et à se reproduire. Aussi Ernesto devrait-il continuer, comme dit le proverbe, de bien faire et de laisser braire.

Mais, depuis qu'il a lu cet article, il se sent floué. Humilié dans sa fierté et dans son crématorium. Savez-vous ce qu'elle a répondu quand il l'a accusée de vouloir lui voler son Phénix ? Elle a dit qu'être le propriétaire ne faisait pas de lui le patron : « T'as jamais été capable de t'occuper d'un client tout seul ! »

C'est vrai ?

DaSiggi est obligé d'acquiescer, mais c'est qu'elle ne l'a jamais laissé faire !

Toujours est-il qu'après l'engueulade matinale avec son épousée, DaSiggi a fui le foyer conjugal pour Le Phénix. Chemin faisant, il s'est rappelé le conseil de feu son père, « Invente-toi des couilles pis ça presse ! », et s'est dit qu'il pourrait y arriver !

Mais arriver à quoi ?

En entrant dans le stationnement, il avait entendu par hasard la chronique artistique de Grivilti, qui s'enthousiasmait de l'audace d'un maître d'arène qui avait renoué avec l'art circassien du cirque cathartique de Rome en osant mettre à mort un artiste en pleine représentation — ce qui défiait les règles d'une éthique postcontemporaine qu'on pourrait maintenant qualifier de dépassées — et s'extasiait de « l'inoubliable féerie des gyrophares ».

Un artiste mis à mort ?

Intrigué, flairant la bonne affaire, le propriétaire du Phénix était passé ramasser les quotidiens au Café Clochette. Toutes les feuilles de chou titraient avec la tragédie du Cirque Flagada Circus. La catastrophe tapissait la une à grand renfort de photos bigarrées. On parlait d'un mort, mais aussi de plusieurs autres personnages dans un état plus que critique. Quelle belle perspective d'affaires pour Le Phénix ! Quelle fierté il aurait de décrocher lui-même ce contrat ! Sans parler, cher lecteur, des possibilités romanesques...

Ernesto était donc monté, en fin d'avant-midi, au Phénix, puis avait, confondant couilles et gros bon sens, téléphoné à la direction du cirque. Il était tombé sur le répondeur, ce qui lui avait donné le courage d'enregistrer un message racoleur : « Nous faisons des cérémonies exceptionnelles pour des artistes d'exception. » Sur le plan éthique, ce qu'Ernesto DaSiggi a fait ne se fait pas — tous les croque-morts dignes de ce nom vous le confirmeront. C'était aussi élégant que de distribuer des cartes d'affaires aux soins palliatifs, mais (contre toute attente) ça a marché. La preuve : pendant que je vous raconte ça, la secrétaire du Cirque Flagada Circus a rappelé et Ernesto DaSiggi a obtenu un rendez-vous (demain après-midi) avec le propriétaire et maître d'arène !

Maintenant qu'il a raccroché, va-t-il en aviser sa femme ?

Oh que non ! Fier de sa petite réussite, il ne va certainement pas laisser cette manipulatrice lui piquer le prestige de cette vente ! D'ailleurs, ce n'est pas si difficile que ça de rencontrer un nouveau client... Il sera capable de s'en occuper tout seul !

Tout seul !?

Je sais : il risque de se planter dès le deuxième chapitre et vous souhaitez peut-être que je lui donne un coup de main. Il n'en est pas question, lecteur. Je ne l'aiderai pas parce que, comme disait son père : « Des couilles, t'en as ou t'en as pas — mais moi, j'peux pas t'en inventer ! »

Regardez-le : il croit qu'il a acquis de la classe, de l'élégance, du savoir-faire au cours des dernières années ; qu'il est capable de prendre le crématorium en main et de recevoir le directeur du cirque ? Qu'il le fasse ! S'il se plante demain, le roman sera juste moins long !

Nonchalamment, il se verse un verre de rhum.

Il commence à se faire tard : Frugère Lalancette mariée Sigouin devenue DaSiggi va l'attendre pour souper, non ?

Sûrement. Les heures ont filé vers la droite sur le cadran de l'horloge, et elle boude probablement déjà. Certains diront qu'Ernesto aurait dû suivre les conseils de son père et errer dans le célibat séducteur des mains vagabondes. Peut-être. Mais est-ce que le mariage empêche un cœur d'aimer ? Sûrement pas.

Ernesto vérifie la température du bain scandinave, tamise les lumières, ouvre une bouteille de vin. L'ascenseur émet un doux signal sonore et son rendez-vous amoureux arrive. Enfin.

— Oh, Ernesto ! Ils m'ont livré une voiture décapotable hier !

DaSiggi sourit.

— C'est juste un p'tit cadeau…

Le Phénix (ISO 9004)

UN ART DE VIVRE

Certains entrent au Phénix la larme à l'œil, le mouchoir fripé, la mine basse — ils souhaiteraient organiser une soirée crématoire traditionnelle pour leur père, leur mère, frère, sœur, conjointe ou amant. Ils voudraient que le corps soit embaumé, maquillé, exposé, prié en silence sous le regard attendri du Christ en croix et rêvent d'entendre l'indémodable *Ajoute un couvert, Seigneur, à ta table*, de Guy Cubilier, entonné par une chorale aussi paroissiale qu'amateur.

Ils demandent quelque chose de sobre, car « Maman n'aimait pas le fla-fla », de modeste, car « Papa disait toujours "Quatre planches, ce sera ben assez !" », d'abordable, car leur sœur « aurait voulu que je donne cet argent aux pauvres », de discret, de recueilli, de sincèrement touchant.

Ils ne veulent rien de faste, rien de tape-à-l'œil, rien d'extravagant.

Ils sont au mauvais endroit.

Le Phénix (crémation luxueuse, soirée enlevante) n'est pas pour eux.

Le Phénix crématorium (soirée élitiste, prix non compétitifs), c'est pour vous.

Vous, vous n'êtes pas snob, non, mais vous trouvez que les traditions d'ici manquent de richesse, d'histoire, de noblesse, d'envergure.

Car vous, vous avez de la classe et de la culture.

Vous lisez les grands auteurs. Les classiques, bien sûr, et les plus modernes, naturellement. Les Nobel, Pulitzer et Femina des dernières années n'ont pas de secrets pour vous. La poésie actuelle (images fortes et textes épurés) vous fascine.

Vous admirez l'art postexpressionniste d'avant-garde ; les installations néomodernes aux lignes puissantes alliant caractère et émotion vous laissent sans voix.

Vous assistez, transcendé par la majesté des mouvements, aux spectacles de danse-performance — il vous arrive même de comprendre l'artiste, de saisir l'intention, de vous sentir, carrément, interpellé.

Vous voyagez dans des lieux exotiques, pratiquez le yoga, vivez zen, mangez sain, admirez le dalaï-lama, parlez anglais sans accent, français sans joual, esperanto pour la noblesse de l'art ; vous êtes écolo, laïque, branché.

Vous êtes à la fois moderne et authentique.

Le Phénix (crémation exotique et internationale) vous comblera.

2 LUNDI
UN COUP MAL TIRÉ

— *Benvenuuuto...*

Le *u* est trop traînant. C'est beau la compassion, mais faut quand même pas se mettre à
pleurer !

Ernesto observe son look dans le miroir du
bar. C'est vrai qu'ils sont élégants en Italie. Ce
matin, il s'est acheté de nouveaux costumes. À
l'heure qu'il est, Ernesto porte un trois-pièces
gris cendré rayures banquier (comme dans les
films de mafiosi), chemise blanche et cravate
pâle (il a hésité sur le nœud papillon, mais ça
fait un peu trop parrain). Il pose son verre,
s'observe dans la glace. Encore beau, racé. Il
s'approche du miroir, humecte ses index,
peigne du bout des doigts ses sourcils brous-
sailleux. Il a même décidé d'ajouter un ou deux
mots d'italien à son vocabulaire.

— Hé. Mon ami. *Benvenuto.*

Trop mafieux. Nous sommes dans un salon funéraire, ne l'oublions pas !

Il ôte son veston.

Le gilet aussi, c'est chic. Classique. Mais il faut retrousser les manches de la chemise, évidemment. DaSiggi ne déteste pas ça. Ça met en évidence sa montre, ses bagues. Il admire, au passage, ses chevalières qui brillent sous les lumières pourtant discrètes du salon — celle qui porte ses initiales et l'autre, aux armoiries du Phénix.

Il est fier. Le Phénix, oiseau mythique autant que prodigieux, va prendre tantôt un nouvel envol. Grâce à qui ? DaSiggi se fait un sourire dans la glace, dodeline légèrement de la tête. C'est lui, le patron !

Hier, son épouse a quand même suspecté une absence de transparence chez son DaSiggi de mari. Mais il s'est montré inflexiblement muet devant l'interrogatoire serré qu'elle lui a fait passer, secrètement entêté dans l'idée de rencontrer seul, seul et seul son nouveau client.

— *Benvenuto !*

Il prend un air affable et professionnel, songe soudain qu'il lui faudrait une formule d'accueil. Quelque chose de chic et de bienveillant.

— *Benvenuto !* Le Phénix vous consolera !

Il prend une gorgée de rhum, recommence.

— *Benvenuto !* Vous êtes triste aujourd'hui de la perte d'un être cher, mais Le Phénix vous en consolera !

Il replace la vague pourtant immobile de ses cheveux. « Le Phénix vous en consolera. » C'est pas mal du tout.

Et après, il dira quoi ? D'habitude, c'est sa femme qui parle. Elle insiste sur des détails : « Racontez-moi comment ça s'est passé... » Lui, il a horreur de ça : Le Phénix, c'est une business, pas un salon de coiffure !

Ernesto se verse un autre verre.

Ces premières rencontres sont toujours trop longues. Il devrait en profiter pour les rendre plus... performantes ! Aller droit au but, à savoir : qui est mort ? Où va-t-on chercher le corps ? Êtes-vous disponible pour rencontrer notre équipe ce mardi matin ? Pour la cérémonie de samedi ? Et, surtout : qui va payer ?

L'ascenseur émet un tintement prometteur.

DaSiggi se remémore sa phrase : « *Benvenuto.* Vous êtes triste de la perte d'un être cher, Le Phénix vous en consolera », secoue son pantalon, replace ses cheveux, et marche (vacillant ? si peu...) à la rencontre de son futur client qui franchit justement les portes, cherche quelqu'un, trouve cet Italien chic et décontracté qui s'avance vers lui, qui ouvre les bras et…

Et ?

DaSiggi s'arrête, recule presque d'un pas. Il aurait dû ou pu s'attendre à ça, mais il n'a pas pensé que…

Que quoi ?

Ce n'est pas tant que l'autre fait pitié à voir, non, non… C'est surtout… Comment dire ?…

La redingote ?

Peut-être.

Ou le chapeau haut de forme ?

Ou les deux. Enfin, voilà : quelque chose dans cet accoutrement d'une autre époque donne à ce client un air obsolète et, disons-le franchement, sans le sou.

Or, il n'y a rien, mais rien de plus désagréable pour un croque-mort ambitieux que de consoler un pauvre ! Comment vendre une luxueuse cérémonie funéraire à un gars cassé qui pleure toutes les larmes de son corps ? Le pire, c'est que, même quand ils sont fauchés, ils espèrent avoir droit à la totale ! Voilà où le bât blesse : si tous ceux qui ont de la culture, du goût, de la classe rêvent (naturellement) d'une cérémonie au Phénix (crémation chic, prix exorbitants), peu de gens ont la noblesse (lire : les moyens) d'y accéder. Et quoi de plus désobligeant qu'un client sans le sou ? Un client qui fait semblant !

C'est donc avec cette appréhension (mal placée, direz-vous, car fondée sur quoi ? Une redingote désuète ? Un haut-de-forme démodé ?) qu'Ernesto DaSiggi, ravalant son mécontentement, étire une main compatissante vers le directeur du cirque.

— *Benvenuto* au Phénix (crémation luxueuse, facture garantie). Je suis Ernesto DaSiggi.

L'autre, dans un mouvement souple, claque les talons, saisit son chapeau, le fait tournoyer devant lui, le pose à plat sur sa panse dodue, puis avance une main outrageusement baguée de pierrailles rouges et jaunes que le croque-mort, en un éclair, jalouse violemment.

— Monsieur Loyal Ferdinand LaBaffe de LaVignole…

Un Français ! DaSiggi a toujours admiré les Français !

— … propriétaire, directeur et maître d'arène du Cirque Flagada Circus.

Ils ont de la classe, ils boivent du bon vin.

— Vous avez insisté auprès de ma secrétaire et c'est pourquoi je daigne…

Pourquoi, mais pourquoi, ce fichu directeur de cirque n'est-il pas plus chic ?

— … vous honorer aujourd'hui de ma présence.

— Ne vous en faites pas : Le Phénix vous en consolera.

Monsieur Loyal Ferdinand LaBaffe de La-Vignole arque un sourcil, acquiesce d'un hochement de tête et serre énergiquement la main tendue de son vis-à-vis.

— Mesdames, Mesdemoiselles, Messieurs, nous sommes aujourd'hui perclus de chagrin. Le Cirque Flagada Circus, connu de par le monde entier et attendu dans les autres mondes, pleure en effet un de ses artistes les plus spectaculaires pendant que trois autres s'agitent dangereusement sur le fil de fer de la vie !

Dans un éclair de sobriété, Ernesto DaSiggi songe à son épouse. Son épouse, il faut lui donner ça, elle sait parler. Elle sait même accueillir tout un chacun comme si c'était n'importe qui.

— Rien ne presse : Le Phénix les attendra.

Mais le maître d'arène n'écoute pas : il s'est tourné du côté du salon vers lequel il dirige son pas majestueux. Il exécute un tour d'honneur dans la vaste pièce, observe le plafond haut, le bar, la baie vitrée, le fleuve ; jette un regard aux urnes de verre soufflé disposées sur divers piédestaux aussi originaux qu'étranges ;

lance un œil curieux en direction du mur de verre qui camoufle partiellement la section spa et revient, visiblement satisfait, vers un DaSiggi immobilisé à quelques pas de l'ascenseur.

— Monsieur, le Cirque Flagada Circus consentira peut-être à faire affaire avec Le Phénix. On nous a assuré que vous étiez les meilleurs dans le domaine...

— *Naturalmente*. Nous ne sommes pas seulement les meilleurs dans le domaine, mais les seuls de notre catégorie.

La main droite du maître d'arène, dans une valse habile, défait les trois boutons dorés de sa redingote, laissant entrevoir un gilet satiné. S'il avait eu la tête à sec, DaSiggi aurait alors saisi que l'accoutrement (queue-de-pie à boutons cuivrés, nœud papillon doré, pantalons bouffants et bottes de cheval) était possiblement plus chic qu'il n'y paraissait et que l'odeur (mélange d'arène de fauves et de poudre à canon) faisait probablement le métier.

Mais la subtilité n'est pas son genre.

Il avance vers son client, l'invite à s'asseoir. Lui offrir un café ? Non. Inutile d'allonger vainement l'affaire. Ernesto DaSiggi acceptera de négocier, car le business manque cruellement de morts célèbres, mais n'y perdra pas toute la journée. D'ailleurs, est-ce vraiment le directeur du cirque qui paiera, ou la famille de l'artiste ? L'affaire mérite une rapide mise au point.

Le maître d'arène, quant à lui, s'assoit, majestueux, pose délicatement son haut-de-forme sur ses genoux et, sûr de sa prestation, il entame son boniment.

— Laissez-moi vous raconter...

— Non, non. *Evidentamente*, ça doit être très difficile pour vous, alors inutile d'entrer dans les détails. Un de vos artistes est décédé au cours d'une représentation et...

— Le spectacle était presque terminé, Mesdames, Mesdemoiselles, Messieurs, les acrobates préparaient le dernier numéro...

— Notre croque-mort ira le chercher aujourd'hui même. Maintenant, si vous étiez libre pour une rencontre avec notre équipe demain matin, nous pourrions organiser ensemble la soirée de samedi.

— ... notre meilleur numéro ! Le plus grand, le plus spectaculaire, le plus émouvant...

— *Naturalmente*, nous devons d'abord régler une petite question préalable.

L'homme du cirque lève le bras droit, pose la main gauche sur son cœur et regarde ces admirateurs imaginaires qui se dressent au milieu du Phénix.

— ... dans les estrades, la foule trépigne. Ça sent le caramel, la sueur...

— Monsieur Loyal Ferdinand LaBaffe de LaVignole...

Le maître d'arène secoue la tête, tire un immense mouchoir doré de sa poche et, dans un geste grandiose, il s'éponge l'œil.

— Qui pouvait deviner ce qui allait se passer ? Qui ?

Silence dramatique. DaSiggi en profite.

— Avez-vous prévenu la famille ?

Surpris, l'autre tourne un regard démesuré vers DaSiggi.

— La famille ?

Ferdinand LaBaffe de LaVignole et sa redingote se redressent carrément.

— Mais qu'est-ce que vous me dites là, monsieur DaSuigi ! ?

— DaSiggi. C'est italien.

Monsieur Loyal Ferdinand LaBaffe de LaVignole balaie la riposte du revers de la main : qu'a-t-il à cirer des Italiens dans un moment aussi dramatique ?

— Apprenez, monsieur DaSuigi, qu'il n'y a pas d'autre famille pour un artiste du Cirque Flagada Circus que la troupe, la troupe et encore la troupe !

— *Evidentamente!* Mais votre artiste a certainement des parents, des frères...

— Nous sommes tout cela, monsieur, et bien plus encore! Le Cirque Flagada Circus, c'est vingt-trois générations d'artistes, grands et petits, morts et vifs, tous plus fabuleux les uns que les autres, qui ont fait rêver des spectateurs éblouis partout sur la terre et plus loin encore! Le Brillant Forminono a œuvré chez nous, l'Innommable Prasftrovlaskriw, l'Inoubliable Pétrolitétone...

— Monsieur Loyal Ferdinand LaBaffe de LaVignole, ce sont les familles biologiques des défunts qui se chargent habituellement des arrangements funéraires...

— Mais pourquoi, Mesdames, Mesdemoiselles, Messieurs? Pourquoi?

— Parce que ce sont elles qui payent!

Voilà. Lâchée comme un lion dans l'arène, la question fuse : qui allongera les verts billets quand arrivera le samedi des cendres, qui?

Giflé dans son orgueil, Monsieur Loyal Ferdinand LaBaffe de LaVignole bondit, boutonne sa queue-de-pie d'une main, remet le haut-de-forme sur son crâne quasi chauve de l'autre, redresse la tête.

— Monsieur DaSuigi! Avec moi, c'est vingt-trois générations de Monsieur Loyal que vous offensez ! Apprenez qu'au Cirque Flagada Circus, nous ne sommes peut-être pas riches, mais nous avons de la classe ! Et nous mettons un point d'honneur à assurer nos artistes du cheveu à l'orteil, de la tendinite au cercueil ! Nous ne faisons pas les choses à moitié ! Nos clients, de sept à soixante-dix-sept ans, en ont toujours eu pour leur argent !

Et *toc* !

Ernesto DaSiggi, trente-huit ans, propre, ongles limés, cou parfumé, costume italien, chemise blanche et cravate pâle, s'est fait avoir comme un débutant ; pourquoi, mais pourquoi, n'a-t-il pas pensé aux assurances ? ! Les assurances, ça paye ! Et grassement !

Oubliant tout orgueil, notre homme (endetté jusqu'au cou par ses « p'tits cadeaux ») s'élance au-devant du maître d'arène, enfile courbettes, re-courbettes, honteux de sa méprise devant ce client devenu magiquement intéressant, et :

— Monsieur Loyal Ferdinand LaBaffe de LaVignole, mille, mille, mille excuses d'avoir ainsi cru, dit, pensé, osé…

Trop tard : Monsieur Loyal Ferdinand LaBaffe de LaVignole, qui n'a plus que faire du Phénix (crémation disponible, service suppliant), tourne violemment dos à un DaSiggi bègue, honteux — que dirait sa femme si elle l'apprenait ?

Impatient d'aller incinérer ailleurs, le maître d'arène file jusqu'à l'entrée, appuie énergiquement sur le bouton de l'ascenseur, tape frénétiquement du pied. Tout semble définitivement perdu pour Ernesto DaSiggi.

Tout !

Lorsque, subitement sortie du bruyant monte-charge, une apparition aussi inattendue que providentielle vient renverser la situation.

— *Madre santa di Gesù ! Ma*, qu'est-ce qui se passe ? On vous entend jusqu'à la quatrième avenue ! Vous n'avez pas honte ? ! C'est un crématorium ici, pas une porcherie !

L'épouse de DaSiggi ?

Non, non...

D'un seul mouvement, nos chicaneurs se tournent vers la nouvelle venue et baissent la tête. Tonitruante, majestueuse, énorme, la costaude Italienne qui les détaille de haut en bas leur cloue le bec. Ernesto file un coup de coude à son client, qui retire promptement son haut-de-forme. Derrière eux, les portes de l'ascenseur s'ouvrent et se referment sans que personne ne songe seulement à bouger un orteil.

— *Sono vergognoso !* Je suis venue chercher un plat de cristal que nous avons oublié samedi

soir et je tombe sur des gamins qui se cha-
maillent ! Y a pas d'autre mot : honteux !

Bouleversé, le maître de cirque a le genou
qui flanche.

C'est que Ferdinand LaBaffe de LaVignole,
élevé jadis par la Dompteuse aux Muscles
d'Acier, n'a d'yeux, de mains, de lèvres et d'appétit que pour les solides matrones au fouet
tendu. Préadolescent, il avait eu une aventure
mémorable avec la Femme Fakir et s'était enti-
ché, quelques années plus tard, d'une acrobate
russe qui l'avait abandonné pour faire carrière
au lancer du disque olympique. Depuis, il erre
dans diverses amourettes complexes qui ont sus-
cité dernièrement une pénible histoire de jalousie entre l'Avaleuse de Sabres et la Sangleuse
Équestre.

Bref, il flanche du genou devant la nouvelle
venue. Lui qui croyait qu'il n'y avait, hors du
Cirque, point de salut érotico-amoureux,
admettrait (s'il était capable de retrouver ses
esprits, de fermer la bouche et d'enfiler trois
mots sensés sur le fil de la parole) qu'il est littéralement subjugué, soufflé, époustouflé par
la nouvelle venue.

— *Bene.* Je vais vous faire un cappuccino et
nous allons discuter.

Les deux hommes rentrent dans le salon pendant qu'elle se dirige vers le bar.

Monsieur Loyal Ferdinand LaBaffe de La-Vignole est tellement ému qu'il a oublié de faire ses habituels tournicotis en enlevant son magistral haut-de-forme. Debout, béat et salivant, il fixe la replète Italienne. Timide, il ose un mot.

— Vous êtes italienne ? J'adore les Italiennes... les Italiens... Je veux dire : l'Italie ! L'Italie, c'est...

— *Evidentemente* que je suis italienne !

— Vous êtes venue au Québec avec votre mari ?

— Non. J'ai épousé un *buono a nulla*, mais il est parti. J'étais boulangère dans un petit village. Maintenant, je travaille aux Buffets Italiens, en ville, avec mes cousins.

— Vos cousins ! C'est extraordinaire !

Entre deux cuillerées de café, elle lui jette un œil, et... Et la bouche de Monsieur Loyal Ferdinand LaBaffe de LaVignole bée béatement — la phrase s'épuise, s'assèche, succombe au silence.

DaSiggi épie son éventuel client et, soudain, il se rappelle ses propres émois amoureux de jeune homme. Il observe la nouvelle venue. Le Phénix (buffet chaud, desserts savoureux) a signé un partenariat d'exclusivité avec les Buffets Italiens depuis presque un an. Leur représentante, c'est une sacrée bonne femme.

La première fois qu'elle était venue, il s'en souvient, elle avait intercepté DaSiggi d'une poigne assez solide merci.

— Mon garçon, viens ici! Il faut que je te parle.

Dans le cœur d'Ernesto DaSiggi, c'est Ernest Sigouin l'enfant qui fut ému par ce « mon garçon ». Lui qui n'avait jamais eu de mère, il avait été tenté de répondre « Oui, *mamma...* », mais il s'était retenu.

— Quand j'entre dans un salon comme celui-ci, je me dis que la soirée aura de la classe, mon garçon, *dell'eleganza*! *Ma,* qu'est-ce que je vois? *Guarda ciò!*

DaSiggi eut beau regarder, il ne vit, à son grand déshonneur, rien.

— Le buffet, mon garçon! *Madre santa di Gesù!* On n'étend pas un buffet à côté d'un ascenseur! Surtout pas un buffet comme celui-là! Il faut installer de petites tables et demander aux serveurs de faire une rotation des plats. *Capito?*

Il avait hoché la tête, impressionné par cet allant maternel qui l'organisait si bien.

— *Bene.* Maintenant, tu me laisses faire. Toi!

Elle avait attrapé le DJ par le bras.

— Viens m'aider!

Il avait acquiescé, évidemment, et ils avaient tout réaménagé.

La semaine suivante, elle était restée pour le début de la soirée, débarrassant les invités de leurs manteaux, leur offrant condoléances, accolades tapageuses et remplissant leurs mains vides d'assiettes bien garnies.

Frugère Lalancette mariée Sigouin devenue DaSiggi avait tenté de s'interposer, mais :

— Ma petite ! Tu sens encore le nombril mouillé et tu veux venir dire à la *mamma* comment accueillir des gens en deuil ? *Andate !* Rends-toi utile et va aider le pauvre DJ qui est débordé au bar !

Frugère s'était pétrifiée devant autant d'aplomb.

— Ils attendent, ma petite !

La « petite » y était allée.

Depuis, la grasse Italienne (qui s'est procuré un double de la clé du monte-charge) va et vient sans crier gare au cœur du Phénix. Elle arrive sans qu'on sache toujours pourquoi — l'histoire restant floue à ce sujet — et défriche son petit bonhomme de chemin, trouvant apparemment dans le salon de quoi satisfaire ses appétits mondains.

Quel est son nom, déjà ? Ernesto DaSiggi cherche et cherche encore alors que, s'invitant d'elle-même dans la conversation, elle s'approche de la baie vitrée et installe un cabaret (trois tasses) sur une table basse.

Monsieur Loyal Ferdinand LaBaffe de La-Vignole la suit au pas. Dès qu'il la voit débarrassée, il s'empresse.

— Madame... mademoiselle... Nous n'avons pas eu l'honneur, ni moi ni mon cirque, de vous être officiellement présentés. Permettez que je me déclare, Monsieur Loyal Ferdinand LaBaffe de LaVignole, propriétaire, directeur, maître de cérémonie du spectaculaire Cirque Flagada Circus et, bien sûr, votre humble serviteur.

Il attrape délicatement la main dodue.

— Pour vous, madame, je ne serai que Ferdinand.

Providentiellement, la mémoire revient à DaSiggi.

— Monsieur Loyal, j'ai le plaisir de vous introduire à la femme qui veille au bonheur buccal de nos invités : Mme Minella.

— Gonores. Appelez-moi Gonores.

— Avec moi, madame Gonores, c'est tout un cirque qui s'incline et vous baise.

Le genou cérémonieusement au sol, le maître d'arène pose ses lèvres moustachues sur les doigts frémissants de la grasse Italienne. Le long baisemain achevé, ils s'assoient confortablement et Gonores prend l'affaire en main.

— *Bene.* Maintenant, dites-moi : pourquoi vous vous chicaniez comme des chiffonniers ?

— C'est M. DaSuigi ! Il m'accuse de ne pas vouloir payer !

— C'est vrai ?

— Madame Minella... Le Phénix (service luxueux, soirée onéreuse) veut s'assurer que ses clients payeront... C'est un commerce, ici, pas une œuvre de charité...

D'un hochement de tête, Gonores Minella approuve.

— Vous payerez, monsieur Ferdinand ?

— Madame Gonores ! Le Cirque Flagada Circus a toujours payé, payé et repayé !

— *Bene.* Voilà qui est réglé, n'est-ce pas, Ernesto ?

DaSiggi acquiesce, mais l'autre affiche une petite moue insatisfaite.

— *Ma*, qu'est-ce qu'il y a, encore ?

— C'est que, voyez-vous, madame Gonores, le fabuleux et ventripotent Cirque Flagada Circus paiera, mais... monsieur DaSuigi ici présent a eu une attitude pour le moins... rébarbative et...

— Venez-en au fait.

— Qui me dit que le Cirque Flagada Circus sera bien servi ?

— Pardon ?

— Après ce que j'ai subi, je peux me permettre de douter. Je déclare donc que le Cirque Flagada Circus paiera seulement et uniquement si tout se passe magnifiquement et magistralement bien !

— *Madre santa di Gesù !* C'est du chantage !

— Si tout se passe superbement bien, le Cirque Flagada Circus saura se montrer plus que généreux !

DaSiggi hoche gravement la tête et, novice dans l'art d'avoir des couilles, il se dit que c'est peut-être le moment ou jamais d'en tester le poids autant que la solidité.

— Monsieur Loyal Ferdinand LaBaffe de LaVignole, Le Phénix crématorium assure un service d'excellence.

— Très bien.

— C'est pourquoi, sûr de mon fait, je déclare que nous ne signerons pas de contrat, vous et moi. Le Cirque Flagada Circus ne payera Le Phénix qu'à la hauteur de sa satisfaction.

Hé oui.

S'inventer une solide paire de couilles bien accrochées, lecteur, ça ne s'improvise pas. Les grands couillus de ce monde vous le diront : c'est un talent qui s'acquiert progressivement et le principal danger, c'est de terminer couillon.

— *Madre santa di Gesù !* Ce n'est pas raisonnable, Ernesto ! Et puis, il faut en parler à votre femme ; c'est elle qui...

— Madame Minella, c'est moi qui dirige Le Phénix !

— Vous ?

Interloquée, l'Italienne se tait.

Étonné, admiratif, impressionné, Monsieur Loyal Ferdinand LaBaffe de LaVignole salue.

— Le légendaire Cirque Flagada Circus accepte votre audacieuse proposition, monsieur DaSuigi.

Gonores Minella (non actionnaire, mais légèrement froissée) décide que tant pis, après tout. Si DaSiggi se met dans le trouble, ce ne sera pas son problème. Aussi adopte-t-elle une pose douillette et, parce qu'elle y est, parce que le lundi prête à la confidence ou encore parce que ça n'est jamais qu'un roman et que je l'ai décidé ainsi, la voilà qui entreprend de questionner Monsieur Loyal Ferdinand LaBaffe de LaVignole.

— *Adesso che questo è regolato*, racontez-nous un peu ce qui s'est passé. Dans les journaux, ils disent que c'est un complot. *È vero ?* C'est vrai ?

— Ça s'est passé tellement vite, madame Gonores ! Si vous saviez...

Ils disent tous ça : « Ça s'est passé tellement vite ! » – comme si un accident mortel pouvait survenir au ralenti ! DaSiggi soupire. Monsieur Loyal Ferdinand LaBaffe de LaVignole lui jette une œillade qu'il reprend vite et se tourne définitivement vers l'Italienne.

— Le spectacle était presque terminé, madame... mademoiselle Gonores. Les acrobates commençaient le dernier numéro... C'est mon numéro préféré ! Les artistes se déchaînent dans l'arène, les gens sont heureux !

Gonores sourit.

— Les clowns, la *musica*... J'ai toujours aimé les clowns !

Elle boit une gorgée de café.

— Vous savez, nous attirons des gens de sept à soixante-dix-sept ans, avec des prix spéciaux pour les enfants de moins de douze ans !

— *Bene.* Bien aimable, ça.

— Notre grande finale, c'est tellement beau !

— Il y a des feux d'artifice ?

— Des feux d'artifice en fontaine qui illuminent le fond de l'arène, mademoiselle Gonores !

— Et des clowns ?

— Des clowns, des contorsionnistes, des dompteurs, l'Homme Fort : presque tout le monde est en piste !

Il s'émeut. Ses yeux se tournent vers l'infini et s'embuent d'une flaque de larmes nostalgiques.

— Ça sent le fauve, la sueur, le pop-corn au caramel, la barbe à papa... Mademoiselle Gonores, si vous saviez !

Sa voix se casse, comme une glace trop fine, sur un sanglot de gorge. Gonores s'élance.

— *Madre santa di Gesù !* Nous en ferons, de la barbe à papa, monsieur Ferdinand ! Foi de Gonores Minella, il y en aura !

L'autre hoche la tête, sort de nouveau son immense mouchoir doré qu'il avait serré je-ne-sais-où, je-ne-sais-plus-quand, et s'y mouche bruyamment.

— Racontez-moi, monsieur Ferdinand ! Racontez-moi !

— Tout allait bien, merveilleusement bien...

Ils avaient procédé comme d'habitude : les acrobates amènent le canon, l'Homme Canon fait des pirouettes. Puis le suspense commence : le crescendo musical et pyrotechnique éblouissant en met plein la vue. Les enfants se perchent sur le bout de leur banc. Les acrobates virevoltent sur la piste. L'Homme Canon enfile son casque, monte sur l'estrade. La Contorsionniste contorsionne, l'Homme Fort force, le Cracheur de Feu crache... L'Homme Canon se glisse dans l'ouverture. Dans quelques instants, ils se retireront dans l'ombre. Un roulement de tambour tonitruant retentira, suivi d'un silence angoissant, puis... le canon projettera son homme vers les défis cascadeurs les plus extraordinaires, Mesdames, Mesdemoiselles, Messieurs !

— C'est là que c'est arrivé.

Monsieur Loyal Ferdinand LaBaffe de La-Vignole hésite.

— Il y a eu un problème avec le ressort.

Il était là, lui aussi. Légèrement en retrait.

— On ignore encore ce qui s'est produit, mais...

Il a tout vu. En direct.

— Il a déraillé.

C'était horrible.

Ernesto DaSiggi se souvient d'avoir lu, dans le *Potins-Police*, que les enquêteurs soupçonnent un sabotage.

— Le canon s'est déclenché trop vite. Et, surtout, dans le mauvais angle...

L'Homme Canon a été propulsé tout croche, au milieu des artistes en performance.

Gonores Minella pose sa main dodue sur le bras de Monsieur Loyal Ferdinand LaBaffe de LaVignole.

— Il a percuté mon Cracheur de Feu et ma vieille Contorsionniste, puis s'est immobilisé contre l'Homme Fort.

DaSiggi revoit l'article du matin. Le journaliste prétend que la Femme à Barbe est la première suspecte. Une vague histoire de jalousie sexuelle serait à l'origine du sabotage.

Gonores compatit.

— *Madre santa di Gesù...* Ça doit être difficile de perdre son Homme Canon...

Monsieur Loyal Ferdinand LaBaffe de LaVignole sursaute.

— Mon Homme Canon ?

— *Ma...* Ce n'est pas lui qui a passé l'arme à gauche ?

— Non, non, non, mademoiselle Gonores.

Estomaquée, Gonores Minella se tourne vers DaSiggi.

— *Ma...* c'est qui, le mort ? Y a un mort ou pas ? Pourquoi on me dit rien, à moi ?!

Monsieur Loyal Ferdinand LaBaffe de La-Vignole répond doucement, question d'apaiser la virulente Italienne.

— C'est le Cracheur de Feu.

— Le Cracheur de Feu ? *Madre santa di Gesù !* *Ma ?!* Il s'est étouffé avec sa flamme ou quoi ?

Elle, elle préfère les clowns, alors un cracheur de feu de plus ou de moins, vous comprenez...

Gêné, DaSiggi toussote.

— *Bene.* Un cracheur de feu…

Compatissante malgré tout, elle revient vers Monsieur Ferdinand.

— Vous le connaissiez peut-être depuis longtemps…

Monsieur Loyal Ferdinand LaBaffe de LaVignole boit une gorgée de café.

— Vous savez, mademoiselle Gonores, des cracheurs de feu, il y en a de toutes sortes. Mais le nôtre… Les gens venaient de partout pour le voir cracher ! Certains disaient que, à travers sa lumière, ils revoyaient toute leur enfance ! Il avait la flamme, vous comprenez ?

Elle salue, peu impressionnée.

— Quand l'Homme Canon lui est tombé dessus, il a avalé sa flamme. Il s'est asphyxié.

Des témoins affirmaient d'ailleurs, disait le *Potins-Police*, qu'en tombant il avait expiré un nuage de fumée et de cendres incandescentes qui, dans la frénésie ambiante, ressemblait à une pluie de confettis multicolores. Certains, pris de nervosité, avaient applaudi. Plusieurs, par la suite, ont parlé de magie posthume. La journaliste avait demandé l'avis du Magicien, qui avait refusé toute déclaration à ce sujet, se contentant de disparaître dans sa loge.

Gonores regarde l'heure. Tout ce boucan pour un cracheur de feu... Aux Buffets Italiens, ils vont lui demander pourquoi elle s'est attardée. Par politesse, elle se dit qu'il faudrait s'informer des autres avant de partir.

— Et l'Homme Canon, il s'en est tiré ?

— Il est dans le coma.

— Ah. Et la vieille Contorsionniste ?

Monsieur Loyal Ferdinand LaBaffe de La-Vignole inspire un grand coup.

— Coincée.

— Coincée ?

— Dans la position du scorpion inversé. Son plus grand numéro.

— C'est dangereux ?

— Elle a le diaphragme écrasé. S'ils ne la déplient pas d'ici deux jours, elle risque le pire.

— Et l'Homme Fort ?

— L'Homme Fort ? Il va très bien ; c'est lui qui a arrêté l'Homme Canon !

Ernesto DaSiggi se questionne : seulement deux moribonds en attente ? Ce n'est pas ce qu'il a lu dans *Potins-Police*...

— Je croyais que vous aviez hospitalisé trois artistes ?

— Oui. Le troisième, c'est notre Clown.

— *Madre santa di Gesù* ! Le Clown ?

— Soins intensifs.

— Il a été frappé ?

— Non, il était dans sa loge.

— *Ma ?*

Gonores se tient le cœur à deux mains. Monsieur Loyal Ferdinand LaBaffe de La-Vignole esquisse un geste dramatique.

— Quand il a su ce qui s'était passé, il a fait une attaque.

— Une attaque ?

— Il a toujours eu le cœur fragile…

— *Madre santa di Gesù !* C'est terrible. *Terribile !*

Elle se tourne vers DaSiggi.

— Pour souligner leur mémoire, je ferai un menu grandiose ! *Grandioso !*

Monsieur Loyal Ferdinand LaBaffe de LaVignole s'étonne.

— Leur mémoire ?

— *Ma !* Vous avez un mort et trois qui vont traverser ! Il faut y voir !

— Parce que vous pensez que les autres ?…

— Mieux vaut prévenir que guérir !

— Vous croyez ?

— *Ma, si !* Bien sûr que je crois !

Elle ramasse les tasses. Monsieur Loyal Ferdinand LaBaffe de LaVignole se lève et l'aide courageusement à s'extirper du fauteuil.

— *Bene.* Ernesto DaSiggi va vous organiser quelque chose de beau. Vous verrez.

Le propriétaire du Phénix (audace garantie, cérémonie vendue) revient à la charge.

— Monsieur Loyal Ferdinand LaBaffe de LaVignole, nous profiterons du temps d'agonie de vos artistes pour préparer le décor de la cérémonie ! Si vous étiez libre demain matin, vous pourriez vous joindre à nous : mon équipe et moi-même allons nous pencher sur une décoration adaptée au Cirque Flagada Circus.

— *Madre santa !* Vous savez ce qu'il vous faudrait, monsieur Ferdinand ? Il vous faudrait un décor de chapiteau ! Et une musique de cirque, une odeur d'arène…

— Une odeur d'arène ?!

— *Ma, si !* Ils font des odeurs, ici ! Qu'est-ce que j'aimerais une odeur d'arène !

— Splendide ! Ce sera comme vous voudrez, mademoiselle Gonores ! Vous entendez, monsieur DaSuigi ? Nous prendrons une odeur de cirque ! Vous verrez, mademoiselle Gonores : le Cirque Flagada Circus incinérera en grand !

Pendant que Monsieur Loyal Ferdinand LaBaffe de LaVignole se forge une félicité et que nous doutons tous de cette victoire (mitigée) qu'Ernesto DaSiggi croit remporter, la grasse Italienne dépose les tasses, récupère son plat en cristal et se dirige vers l'ascenseur. Le maître de piste, sa moustache en poignées de vélo, ses sourcils triangulaires, sa queue-de-pie désuète et son mouchoir doré (maintenant serré on-ne-sait-où) la suivent de près.

— Et vous vous joindrez à nous demain, n'est-ce pas, mademoiselle Gonores ?

— Demain matin ? Assister à la réunion des décors ? Quel honneur ! Ce sera la première fois ! J'apporterai des beignets !

Ravi, Monsieur Loyal Ferdinand LaBaffe de LaVignole claque des talons.

— Mademoiselle Gonores, c'est tout un cirque qui, avec moi, aura la joie de goûter aux beignets de la belle boulangère...

Flattée, la replète Italienne accepte un dernier baisemain et franchit les portes du monte-charge qui se referment, pour Monsieur Loyal Ferdinand LaBaffe de LaVignole, sur la promesse d'une résurrection amoureuse.

Le Phénix (ISO 9004)

DES INSTALLATIONS RÉCONFORTANTES

Vous avez sûrement dû, au cours de votre vie, fréquenter malgré vous des salons funéraires de quartier. Ces salons exigus − plafonds bas, tapis usés, fenestration minuscule, chaises carrées plantées en rang d'oignons le long des murs gris terne − sont si mal éclairés que les convives ont l'air de sortir des soins palliatifs.

Un brouillard jaunâtre monte du sous-sol où se regroupent les fumeurs qui, en cachette, se passent une flasque de mauvais whisky. L'odeur de la nicotine se mêle aux relents de formaldéhyde, dont l'embaumeur maison a nettement abusé.

Le directeur du salon funéraire, crâne garni d'une mince couronne de cheveux gris, dos voûté dans un habit râpé, pas mou dans des souliers craquants, s'avance, l'air verdâtre et officiel de celui qui connaît le deuil : « On va faire une petite prière… » Enchaînant les *Notre père* et les *Je vous salue, Marie*, il fait taire les commérages, et vous voilà condamné, pour tuer le temps, à compter les cernes d'humidité dans les coins du plafond. Vous ne reconnaissez pas le défunt sous l'épaisse couche de maquillage, alors il ne vous reste plus qu'à chercher vos fleurs dans l'amoncellement des bouquets pour vous assurer que la fleuriste ne vous a pas arnaqué, puis à filer en douce.

Qu'est-ce que Le Phénix a de commun avec ces établissements ? Rien !

Au Phénix, tout est calme, luxe et volupté.

L'environnement feng shui laisse place à une personnalisation hebdomadaire du décor, selon vos goûts, pour garder le disparu présent dans l'esprit de vos proches. À cela s'ajoutent la musique que vous avez choisie (présentée par notre DJ maison) et le bar généreusement garni qui favorise les discussions décontractées.

De plus, vous jouirez de notre section VIP, où sont installés nos confortables bains scandinaves. Ces spas chauds et luxueux vous offriront, en toute intimité (lumières tamisées, hôtesses consolatrices), du réconfort dans ces moments difficiles.

3 MARDI
PUTES ET CURÉ

Frugère Lalancette mariée Sigouin devenue DaSiggi est-elle vraiment cette exécrable manipulatrice perverse et profiteuse dépeinte par son mari ?

Certaines femmes, lecteur, ont hérité, je vous l'accorde, d'une frustration tant viscérale que génétique, tare congénitale qui se développe généralement dans l'immédiat après-mariage. Les reproches, le claquage de portes et la bouderie constituent la dot cachée de ces charmantes demoiselles que l'alliance transforme, tel l'anneau magique de Gollum, en mégères sèches et acariâtres.

Des études récentes démontrent cependant que peu de femmes appartiennent d'emblée à cette catégorie d'inconditionnelles geignardes. Il appert même que les hommes, une fois mariés,

participeraient directement à la création de ces
matrones indomptables sous leur propre toit.
La déception post-lune de miel, drame commun
à trop de jeunes épousées, provoquerait, semble-
t-il, une amertume telle que, sitôt le voile blanc
retiré, la biche tendre se métamorphoserait
malgré elle en hyène déchaînée.

Frugère Lalancette mariée Sigouin devenue
DaSiggi appartient, de toute évidence, à cette
deuxième catégorie.

Adolescente, elle était charmante. Elle rêvait,
certaines nuits, qu'elle escaladait avec grâce ces
édifices princiers que l'imagerie des contes de
fées avait injectés dans ses pupilles extatiques
et, au réveil, il lui collait au palais et sur la
langue un goût pétillant que sa mère avait
identifié comme étant celui du champagne.
La chose semblait claire : sa destinée serait
féerique, rien de moins.

Passionnée par les arts visuels, elle avait
vécu un échec cuisant dans les cours de dessin
de Mᵐᵉ Bellemare. Pragmatique, elle s'était
fait une raison : elle serait une piètre artiste,
certes, mais cela ne l'empêcherait pas d'accéder au grand monde par la petite porte des
frustrés. Comme les mauvais écrivains se font
professeurs de littérature, elle se disait qu'une

artiste médiocre pourrait devenir une grande galeriste. Droit de vie ou de mort sur une œuvre ! Comme ce serait délectable !

Chemin faisant, elle s'était forgé une destinée : elle voyagerait de par le monde, fréquenterait les artistes de renom — les plus célèbres, les plus riches, les plus snobs —, elle aurait ses entrées au théâtre et porterait des talons très hauts, très vernis, très rouges...

Or, voilà qu'à l'âge candide de la naïveté amoureuse, elle épousa, sans y prendre garde, Ernest Sigouin — boucher peut-être, s'était-elle dit, mais sûrement aussi fortuné que cultivé : il l'aiderait à accéder à l'univers magique des rêves bientôt réalisés, non ?

Non. Sitôt sortie de la noce, la douce enfant se heurta aux limites (notamment artistiques) de son boucher de mari qui sonnèrent le glas des chimères enfantines — et l'éveil fut brutal.

Confinée au petit appartement adjacent à celui du père Sigouin (au-dessus de la Boucherie Ernest Sigouin, plats préparés, cuisine maison), elle abdiqua son destin de future galeriste pour endosser le quotidien de femme d'étal (repassa des tabliers, lava des couteaux, emballa des pièces de viande) et affronta l'ignorance crasse (oui, crasse) de son nouvel époux en matière d'arts.

Comble de malheur : même si la Boucherie Ernest Sigouin semblait rouler rondement, le père refusait de prendre son fils pour associé, préférant lui accorder un salaire de crève-la-faim qui ne satisfaisait guère les appétits de la nouvelle épousée. Résignée, Frugère Lalancette mariée Sigouin dut se résoudre à offrir ses services de décoratrice à la quincaillerie du quartier, priant (bien que la prière ne fût déjà plus à la mode) qu'un miracle, en un violent fracas de baguette magique bien placé, advienne, la sorte de cet écueil domestique et la propulse, au douzième coup de minuit, vers le pays des merveilles.

Et ce miracle advint.

Par un bel après-midi d'automne où le quotidien faisait son train, Ernest Sigouin boucher père mourut, en grande pompe, dans les bras de Mᵐᵉ Desormeaux, au fond du frigo.

Appelé de toute urgence derrière le comptoir des viandes froides, Ernest Sigouin, fils et désemparé, laissa à sa Frugère Lalancette mariée Sigouin d'épouse le soin de contacter le ci-haut nommé Oscar Bellemare, croque-mort indépendant, pour gérer l'organisation des funérailles.

C'est ainsi qu'ils apprirent qu'il n'existait, dans toute la ville, que deux établissements funéraires : le premier se situait au deuxième étage des Salaisons Legros (boucherie concurrente des Sigouin), alors que le second était minuscule. Où accueillerait-on la meute de femmes et d'enfants qui viendrait pleurer, légitimement ou non, sur le corps refroidi du chaud boucher ? La situation était épineuse.

Frugère Lalancette mariée Sigouin proposa alors une idée pour le moins singulière : faire l'exposition en bas, dans la boucherie (elle redécorerait les lieux pour l'occasion), et recevoir les gens en haut, dans la maison paternelle. Absorbé par le deuil, Ernest Sigouin entérina l'idée de sa dulcinée, qui transforma radicalement le commerce, suspendant planches, couteaux et tabliers en une installation aussi dadaïste qu'inquiétante.

Oscar Bellemare se chargea de l'embaumement et du service, et témoigna, quelques jours plus tard, du fait que le concept, hautement original, devrait être récupéré.

— Sans parler de cette idée géniale de laisser le corps dans une autre pièce. Car ne nous le cachons pas : la vue d'un cadavre humain entrave la véritable réjouissance des invités.

Il avait lu ça dans une revue.

— Cela les empêche de se divertir vraiment. Car que ressent-on face à un cercueil, je vous le demande ? De la culpabilité ! La culpabilité existentielle de celui qui est encore vivant et qui peut profiter des petites choses de la vie : manger du foie gras, lire Proust, visiter Paris...

Frugère Lalancette mariée Sigouin hochait la tête (elle n'a jamais perdu sa frénétique admiration pour le thanatologue).

— Ça fait que vous aimez ça ?

— Tout à fait ! D'ailleurs, je vous le demande : savez-vous ce qui manque dans le métier de la mort ? Une touche d'esthétisme ! Pourquoi, mais pourquoi faut-il toujours que la mort soit triste et laide ? Un peu de couleur, d'originalité, un soupçon de... de culture (dit-il en buvant une gorgée de rouge), voilà ce qu'il nous faudrait.

Le projet Phénix était né.

Peu de temps après la lecture du testament, les époux Sigouin fermèrent la Boucherie Ernest Sigouin grand-père, père et fils, puis vendirent le fonds de commerce. Entêtée dans son nouveau projet, Frugère Lalancette mariée Sigouin trouva l'espace parfait pour loger le crématorium : le quatrième étage de l'Orphéon (jadis occupé par un artiste transsexuel ayant fait faillite), dont les installations (bar, baie vitrée, coin spa) étaient impeccables. Le principal investissement avait évidemment concerné l'installation du four crématoire (sous la gouverne d'un Bellemare trop à cheval sur les principes, certes, mais véritablement connaisseur) et d'un espace réfrigéré.

Enfin, Frugère Lalancette mariée Sigouin développa le concept : décor somptueux, ambiance soignée, pas de corps (juste des cendres), soirée racée au goût du client.

Ça fait maintenant presque deux ans que Le Phénix (ISO 9004) a inauguré son four et Frugère Lalancette mariée Sigouin devenue DaSiggi est assez fière de sa réussite. Sa réussite à elle, oui. Car c'est elle, la bâtisseuse et l'âme du Phénix — c'est grâce à elle, à sa poigne et à sa détermination, si le grand monde mendie désormais des invitations pour certaines cérémonies mondaines du Phénix — la revue *Féminine Engeance* a même remarqué ses décors et souligné son travail dans son dernier numéro !

Et que fait son Ernesto DaSiggi de mari pendant ce temps ? Il se plaint, imaginez-vous donc, de ne pas tenir le haut du pavé ! Lui qu'elle a connu les mains dans le gras de cochon et le couteau ensanglanté jusqu'au manche se lamente, au sommet du Phénix (ISO 9004), d'être tenu dans l'ombre de sa femme !

Sans compter qu'il ne l'a pas touchée depuis des mois !

Aussi ne s'étonnera-t-on pas, lecteur, que Frugère Lalancette mariée Sigouin devenue DaSiggi soit un peu à cran en entrant dans l'Orphéon. Très chic, elle a le talon haut et le rouge impeccable. Elle salue à peine le gardien (qui se soucie des gardiens ?), s'avance dans le grand hall au sol marbré et... qui devine-t-elle dans le contre-jour de la baie vitrée ?

Louis Corax !

Car, mal mariée, elle rêve évidemment d'un autre homme. Si Louis Corax, le riche proprio du cinquième, devenait follement amoureux d'elle, elle divorcerait. Ça lui en mettrait plein la vue, à cet idiot de DaSiggi, que sa femme soit convoitée par un multimillionnaire ! Elle se pavanerait en vêtements griffés, voyagerait en Italie, parlerait art, mangerait caviar, boirait champagne au petit-déjeuner : elle aurait enfin sa revanche !

En plus, Louis Corax, c'est un amateur d'art ! Il lui arrive même de passer au Phénix, question de jeter un œil sur les décors, ce qui excite franchement la patronne. Ça fait un moment qu'elle ne l'a pas vu et le voilà qui attend, au comptoir du Café Clochette, que le commis daigne se pointer.

Le café du Café Clochette est infect, mais l'arrêt s'impose. L'heure ? Elle sera un peu en retard, mais ne vous inquiétez pas : ils l'attendront !

Frugère Lalancette mariée Sigouin devenue DaSiggi secoue ses cheveux et traverse le hall en balançant les hanches. Elle a vu ça dans plusieurs films. L'art d'être sexy. Peut-être Louis Corax a-t-il lu l'article dans *Féminine Engeance* ? Il lève les yeux. Elle esquisse une petite moue satisfaite, ralentit, cherchant à se faire désirer. D'un mouvement de tête, il s'apprête à la saluer, mais détourne soudainement le regard.

Que se passe-t-il ?

Frugère Lalancette mariée Sigouin devenue DaSiggi a à peine le temps de se poser la question que la réponse s'impose. Qui, d'après vous, s'en vient, fraîchement émergée de l'ascenseur, au pas de course, coquette et toute blonde ? Hé oui : Inès !

L'Inès du deuxième.

Personne, mais personne au monde ne déteste davantage les filles du deuxième que Frugère Lalancette mariée Sigouin devenue DaSiggi ! Parce que, si son mari ne la touche plus, c'est sûrement qu'il la trompe, non ? Et avec qui pensez-vous qu'il la trompe ? Avec les filles de Bleu Communication, évidemment, cette agence d'escortes qu'un sale manipulateur a ouverte au deuxième ! L'an passé, Ernesto Da-Siggi a décidé, sans en parler à sa femme, qu'il « engagerait » ces filles-là, certains soirs, pour « consoler » les clients. Peu de temps après, il s'est mis à rester tard au Phénix et à découcher, carrément, de la maison ! Ça fait qu'elle, Frugère Lalancette mariée Sigouin devenue DaSiggi, elle les a dans le collima-teur, ces filles-là ; elle les déteste et pas à peu près !

La petite pétasse d'Inès fait semblant de rien, arrive vite-vite au Café Clochette, salue vite-vite Louis Corax, se flanque vite-vite devant le kiosque à bonbons.

Frugère Lalancette mariée Sigouin devenue DaSiggi hésite. Virer de bord ? Non ! Elle ira jusqu'au bout ! Elle accélère, même ! Trois enjambées et elle rejoint le comptoir.

Elle tape violemment sur la sonnette. Évi-demment, Straz est invisible ! Maudit com-merçant de cochonneries qui la laisse poiroter à côté de…

Comment ça se fait que Louis Corax tolère une agence d'escortes dans l'Orphéon ?

Qu'est-ce que vous croyez ? Lui aussi, il doit coucher avec les putes ! Ça doit être juste pour le sexe, en plus ! Heureusement, ces filles-

là ne mettront plus les pieds au crématorium !
Elle l'a dit à Ernesto : il est hors de question
qu'elles reviennent au Phénix ! Je vous en
passe un papier !

De côté, elle épie l'accoutrement de la fille
du deuxième, qui est toujours absorbée par
son choix de bonbons. Rien d'intéressant.
Rien. Rien. Rien. Rien.

La patronne du Phénix retape sur la sonnette. Si Straz n'arrive pas, elle ira le chercher,
et par la peau du cou, je vous en passe un
papier ! Maudit Straz ! Un asexué débile et
paresseux ! Straz ! Arrive ! Parce qu'elle, Frugère
Lalancette mariée Sigouin devenue DaSiggi,
elle a pas juste ça à faire ! Elle a une réunion et,
si ça continue, elle va être en retard ! Ça y est :
elle se tanne, soulève le panneau, traverse de
l'autre côté du comptoir, se verse un café, met
trop de sucre, revient, fait retomber le panneau avec fracas et sonne de nouveau.

Elle boit une gorgée. Ils doivent se donner
des rendez-vous en cachette ! Elle boit une
autre gorgée. Puis deux. C'est infect. Dire que,
si les putes étaient pas là, son mari coucherait
peut-être encore avec elle ! Il est peut-être
flanc-mou pis boucher, mais c'est son mari à
elle ! Elle sonne de nouveau. Elle se sent humi-
liée. Qu'est-ce qu'elle a de moins qu'une pute,

elle ? Elle finit son café d'un trait, jette le verre de carton.

Tant pis ! Frugère Lalancette mariée Sigouin devenue DaSiggi tourne les talons et file vers l'ascenseur. S'il voulait se faire payer son café, l'asexué avait rien qu'à être là !

Seule dans la cabine de l'ascenseur, elle se refait une contenance, comme on dit.

Respire, Frugère, respire…

Ouais, c'est ça : respire ! Facile à dire ! Si y avait juste ça, ça serait ben facile de respirer ! Mais y a pas juste les putes, non !

Imaginez-vous donc que, ces temps-ci, le bel Ernesto DaSiggi s'est mis en tête d'avoir de la fierté ! Pis quoi, encore ?! Du savoir-faire ! Il a dépensé une somme faramineuse en vêtements signés et, hier, surprise ! il a décidé de rencontrer un client tout seul ! Franchement ! Il a dit que le gars s'était pointé par hasard. Mon œil ! Frugère Lalancette mariée Sigouin devenue DaSiggi est pas naïve à ce point-là, vous saurez ! Elle le sait qu'il est jaloux de sa réussite !

C'est ben beau faire du yoga pis apprendre à respirer par le nez, sauf que là, les affaires ont intérêt à se placer ! Je vous en passe un papier !

Elle sourit, amère et ironique, puis pense aux idées de décor qu'elle va présenter. Au moins, elle peut faire ça : choisir la déco, produire un simulacre de projet artistique ! C'est la petite gloire qu'il lui reste dans cette vie éphémère, et elle y tient !

Pour samedi, Ernesto lui a vaguement parlé d'un cracheur de feu, hier soir. Elle a élaboré un concept axé sur une atmosphère de jungle, telle qu'en présentaient les films muets de jadis. Il faudrait qu'elle insiste sur l'intimité de l'environnement : des flammes, des peaux de bêtes, des tentures à motifs de savane, du bambou, de la musique tribale... Elle se trouve très originale, bombe sa plate poitrine dans l'ascenseur vide. Elle invitera Louis Corax... L'ascenseur s'immobilise. Elle replace une mèche, lisse sa robe du plat de la main. Maintenant que les putes ne sont plus admises, il la remarquera, surtout dans un tel décor !

Ragaillardie, Frugère Lalancette mariée Sigouin devenue DaSiggi entre au Phénix d'un pas d'abord sûr et vif qui... qui ralentit... puis s'arrête.

Quoi, encore ?

C'est que, voyez-vous, la réunion bat son plein. La patronne regarde l'heure. Techniquement, elle n'a que dix minutes de retard...

Gonores Minella se précipite.

— Madame DaSiggi ! Vous allez mieux ?

— Si je vais mieux ?

— *Ma !* C'est pas facile, les migraines ! Venez vous asseoir !

Compatissante, la boulangère italienne lui tire une chaise, lui offre un café et avance vers elle une assiette de beignets bien entamée. Qu'est-ce que la représentante des Buffets Italiens fait là ?

— Madame DaSiggi, je vous présente Monsieur Loyal Ferdinand LaBaffe de LaVignole, directeur, propriétaire et maître de cérémonie du fameux Cirque Flagada Circus !

Frugère hésite à comprendre. Ernesto, lui, regarde obstinément ailleurs.

L'homme s'est levé (veste et pantalon jaunes, chemise rouge, bottes d'équitation marine, sans parler de la moustache) et, pirouettant, lui fait une majestueuse révérence, un baisemain, un clin d'œil...

— Madame, c'est un honneur pour moi, pour tout le Cirque Flagada Circus, ses artistes et spectateurs, de vous baiser enfin. Votre mari m'a longuement parlé de votre génie artistique et nous avons, malgré votre absence bien compréhensible, adopté en bloc toutes vos idées.

— Mes... idées ?

Elle n'a pas adressé la parole à son mari de toute la matinée !

— *Madre santa di Gesù !* Vos idées de décoration pour la cérémonie !

— Mlle Gonores les a, magistralement, je dois le dire, adaptées...

— *Ma !* C'était à la demande de votre mari, madame DaSiggi ! Sinon, vous me connaissez : j'aurais touché à rien, moi ! Parce que, dans la famille, monsieur Ferdinand, je peux bien vous le dire : c'est mon fils qui a le talent artistique !

Monsieur Loyal Ferdinand LaBaffe de La-Vignole ouvre de grands bras formidablement jaune serin.

— Votre fils, mademoiselle Gonores ? J'ignorais que vous pussiez t'avoir un fils ! Et un artiste, en plus ! Quelle gloire !

Gonores rougit. Quand il s'agit de son fils, elle est toujours attendrie, même si (c'est ce que les potins disent) il lui a jadis fait une de ces hontes dont bien des femmes (des mères, évidemment) se souviendraient. Mais ce n'est pas le temps de raconter ça. Je propose plutôt que nous revenions assez vite à Frugère Lalancette mariée Sigouin devenue DaSiggi, qui commence à comprendre que son époux l'a (volontairement !) balayée du revers de la main pour cette réunion.

— Votre mari a envoyé le devis à l'équipe de décoration ; ils travaillent sur un projet fabuleux : un décor de chapiteau !

— Quoi ?!

— Ils seront ici tout à l'heure !

— Ernesto ?

DaSiggi tourne enfin un visage faussement innocent vers son épouse.

— Et pas n'importe quel chapiteau, Mesdames, Mesdemoiselles, Messieurs ! Un chapiteau extraordinaire, similaire à celui du spectaculaire Cirque Flagada Circus !

Pendant que Frugère Lalancette mariée Sigouin devenue DaSiggi fusille son mari du regard, le maître d'arène, debout au centre du crématorium, pivote lentement sur lui-même, les bras au ciel, comme s'il s'y voyait déjà.

— Ce sera magnifique ! Des drinks colorés, des desserts fabuleux, une odeur d'arène !

— C'est tout ?

Frugère Lalancette mariée Sigouin devenue DaSiggi déglutit : elle qui voulait inviter Louis Corax dans une savane romantique…

— Non, ce n'est pas tout ! Nous avons eu l'idée merveilleuse de suspendre des barres au plafond ! Les trapézistes du fabuleux Cirque Flagada Circus se produiront ici même dans un numéro enlevant !! Comme disait mon père : « Quand t'as les jambes en l'air, tu les as pas en bas !! »

Excité par ce brouhaha, Ernesto ne veut pas demeurer en reste.

— Le thème visuel sera le rayé : chaque invité sera vêtu de rayures — sauf Monsieur Loyal Ferdinand LaBaffe de LaVignole, qui animera la soirée, évidemment !

— Pour le plus grand plaisir de tous, Mesdames, Mesdemoiselles, Messieurs !

Frugère Lalancette mariée Sigouin devenue DaSiggi cherche la faille. Impuissante, elle se tourne vers celui qu'elle a toujours considéré comme son allié : Oscar Bellemare, thanatologue enregistré, resté silencieux jusque-là. Il semble préoccupé par des chiffres griffonnés sur sa tablette.

— Oscar, t'aimes ça, toi ?

Surpris, l'interpellé relève la tête. Les autres se tournent vers lui.

— Aimer ? Peut-on parler d'aimer, dans un tel cas de figure, madame Frugère ? N'allons pas jusque-là. En ce qui nous concerne, nous nous contenterons de souligner que l'idée a du bon. Car qu'est-ce qu'un cirque, je vous le demande ? Un endroit (traditionnellement circulaire) dans lequel des personnages colorés offrent des performances bouffonnes, comiques ou athlétiques. Dans une culture plus ancienne, il y avait, au cirque, des sacrifices humains. Or, que prévoyons-nous pour cette soirée, nous qui, au Phénix (ISO 9004), avons choisi de privilégier le client en tant qu'être de culture qui dépasse sa condition de mortel ? Une soirée sous le signe du cirque.

— Est-ce que les gens de culture aimeront ça ?

— « Aimer » est un mot fortement connoté, madame Frugère, mais nous, Oscar Bellemare, thanatologue enregistré, croyons que le client sera satisfait. C'est ce qui compte.

— *Madre santa di Gesù !* Qu'est-ce qu'il parle bien !

Rassérénée, Frugère Lalancette mariée Sigouin devenue DaSiggi se calme un peu.

— *Ma...* Il y a quand même une chose qui me chicote, monsieur Bellemare...

— Quoi donc, madame Minella ?

— Vous parlez du corps, de la culture, *ma...* Vous oubliez l'âme ! Parce que le Cracheur de Feu, il a droit à un curé !

Tout le monde, même Frugère Lalancette mariée Sigouin devenue DaSiggi, se met à rire.

— *Ma !* Qu'est-ce que j'ai dit de drôle ?

— Madame Minella, les curés, ça existe pu au Québec depuis au moins cinquante ans !

— *Que ? Che cosa dici*, Ernesto DaSiggi ? Toi qui es italien comme moi, tu ne crois pas à Dieu ?!

— Écoutez, madame Minella...

— Non ! *Madre santa di Gesù !* On ne fait pas de blague avec la religion, mes enfants !!

Monsieur Loyal Ferdinand LaBaffe de La-Vignole, attendri, intervient.

— Vous savez, mademoiselle Gonores, mon Cracheur de Feu, il était indien.

— Indien d'Inde ou du Canada ?

— Indien de l'Inde.

— *Madre santa !* Un musulman ?!

— Non. Il était bouddhiste. Dans la plus pure tradition hindo-laïque.

— *Ma !* Il n'est peut-être pas trop tard pour le changer de religion...

— Il serait préférable de ne rien faire, mademoiselle Gonores ; vous comprenez : pour ne pas fâcher les autres invités...

Perplexe, Gonores Minella hoche une tête songeuse et s'enferme dans un silence confus.

— Si le sujet ésotérique de l'âme est clos, nous nous permettrons de terminer notre réponse à Mme Frugère, qui nous a demandé : « Vous, Oscar Bellemare, thanatologue enregistré, comment envisagez-vous la soirée ? » Nous qui sommes thanatopracteur de ce crématorium, nous prévoyons, il serait bon de le préciser, une soirée qui pourrait s'étirer jusqu'à tard dans la nuit. Si, comme nous l'envisageons, le nombre d'incinérations augmente de façon

directement proportionnelle aux jours qui viennent et aux artistes agonisants (nous avons un
corps au frais, mais j'ai cru comprendre que
d'autres suivraient), et, en admettant que
nous commencions la première mise au four
à l'heure habituelle (c'est-à-dire précisément
dix-sept heures, HAE), nous croyons que, pour
deux corps incinérés, le temps alloué doublera
et que, pour trois corps, il pourrait tripler.
Rendus à quatre corps, nous y passerons la nuit.

— La nuit entière ?!

Sous le coup de cette révélation, les yeux
de Monsieur Loyal Ferdinand LaBaffe de La-
Vignole s'agrandissent, se tournent et s'appe-
santissent sur la lourde poitrine de Mˡˡᵉ Gonores,
sa taille volumineuse, ses cuisses titanesques.
Une nuit entière si les trois autres artistes venaient à décéder ? Et l'espace VIP, juste à côté,
les bains scandinaves... La chose serait-elle véritablement possible, voire faisable ?

Foudroyé par ces appétissantes perspec-
tives, Monsieur Loyal Ferdinand LaBaffe de
LaVignole, qui n'a pas réussi à calmer son exci-
tation ni à se rasseoir, claque des talons bleus.

— Mesdames, Mesdemoiselles, Messieurs,
je vous sens bien en selle sur ce grandiose projet
et, parce qu'ils constatent avec enthousiasme
tout l'intérêt que vous portez à cette fabuleuse

soirée qui s'annonce, le directeur et tout son Cirque Flagada Circus vont de ce pas se renseigner pour obtenir des nouvelles fraîches et récentes de leurs artistes en péril. Je me rends donc dans le bureau de M. Ernesto DaSiggi (si vous le permettez) afin de téléphoner aux différents centres hospitaliers où gisent nos artistes en péril et reviendrai promptement vous informer des suites possiblement festives de cette fabuleuse aventure !

Et Monsieur Loyal Ferdinand LaBaffe de LaVignole ramasse deux beignets, son chapeau, baise la main dodue d'on-sait-qui (toujours engoncée dans son silence clérical), fait tournoyer le susnommé chapeau jusqu'à son crâne dégarni et, *hop !* file vers le bureau du patron, où il s'enferme posément.

Et là, ouh la la ! Mesdames, Mesdemoiselles, Messieurs, Frugère Lalancette mariée Sigouin devenue DaSiggi se tourne acariâtrement vers son directeur de mari. Parce que, même si les décors plairont sûrement à Louis Corax, elle, Frugère Lalancette mariée Sigouin devenue DaSiggi, elle a été tenue à l'écart de la conception artistique de cette soirée et ça, c'est inadmissible !

— Ernesto DaSiggi ! Est-ce que je peux savoir ce que je fais ici ?!

— *Evidentamente*, ma chérie ! Nous avons grandement besoin de toi pour les urnes. C'est toi, la spécialiste. Les décorateurs viendront cet après-midi. Peux-tu les attendre, discuter des couleurs et trouver des urnes dans les mêmes tonalités ?

Oscar Bellemare, frénétique à la perspective de sa première soirée multi-incinératrice, renchérit.

— Du verre coloré, voire ligné. Des urnes aux formes étranges, dont les courbes rappelleraient...

— Oscar Bellemare, si c'est moi la spécialiste, tu pourrais me laisser faire !

— Madame Frugère, je ne discute pas votre spécialité, mais il m'est possible, en tant qu'être de culture, d'avoir une opinion sur le sujet. Car je vous le demande : parce que nous sommes croque-mort, devrions-nous être indifférent à la beauté ? Certainement pas ! Surtout pas à la beauté d'une urne funéraire !

Ernesto, décidé à mener cette histoire de bout en bout, tente de ramener l'ordre.

— Des lignes colorées, chérie, tu peux nous trouver ça ? Il y avait un Berlinois qui faisait ce genre de choses. Un Thaïlandais accepterait sûrement de le copier à moitié prix...

— Ce qu'il faudrait, c'est que les trois autres se décident à mourir rapidement afin que nous soyons fixés sur le déroulement de la soirée. Car que fera-t-on si on manque d'urnes à la dernière minute, je vous le demande ?

— Ça prendrait quatre urnes, même si ça se peut qu'on en utilise juste une…

Frugère Lalancette mariée Sigouin devenue DaSiggi en a plein son casque !

— C'est moi qui choisis les urnes, c'est-tu clair ? Moi pis juste moi ! Tu veux-tu me dire, Ernesto DaSiggi, depuis quand t'essaies de mener Le Phénix tout seul ? Depuis l'article de *Féminine Engeance*, je gage ? T'es rien qu'un jaloux !

À cet instant précis, comme le destin qui frappe à la porte, Monsieur Loyal Ferdinand LaBaffe de LaVignole sort du bureau, tambour et trompette dehors, lève son chapeau d'une main leste, ouvre les bras sur la foule des spectateurs en délire et proclame son fait :

— Mesdames, Mesdemoiselles, Messieurs ! Le spectaculaire Cirque Flagada Circus vient d'apprendre une nouvelle incroyable : sa Contorsionniste la plus fabuleuse a péri ce matin dans des conditions extraordinaires !

Un silence mortellement froid accueille ces propos.

— Qu'est-ce qui se passe ? Vous en faites, des têtes d'enterrement !

Oscar Bellemare dégèle le premier.

— Le médecin est passé ? Car nous pourrions aller chercher la dépouille.

— Elle est au centre de traumatologie. Ils ont dit que ça n'irait pas avant ce soir ou demain matin.

— Ne vous inquiétez pas, nous irons.

Oscar Bellemare se lève.

— Puisque notre présence n'est plus requise ici et que nous devrons, en tant que thanatologue-transporteur attitré, travailler la nuit prochaine, nous allons nous retirer.

Monsieur Loyal Ferdinand LaBaffe de La-Vignole lui emboîte le pas.

— Attendez-moi, mon ami ! Je tire également ma révérence, car je dois, pour ma part, aller assister à des auditions. Le fabuleux et impitoyable Cirque Flagada Circus, comme vous l'imaginez bien, est en train de regarnir ses loges de nouveaux artistes prochainement légendaires !

Il lance un dernier coup d'œil vers Gonores.

— À bientôt, mademoiselle, n'est-ce pas ?

— *Si, si.*

— Je tiens ab-so-lu-ment à vous revoir bien vite… *Avriverderchi !*

Et ces messieurs s'engouffrent dans l'ascenseur pendant que, froidement, Frugère Lalancette mariée Sigouin devenue DaSiggi tourne ostensiblement le dos à son hypocrite de mari, file vers le bureau — « Je va's aller m'occuper des urnes pis des décorateurs ! » — et claque la porte.

Gonores Minella se lève. Elle a tellement gardé le silence qu'Ernesto DaSiggi l'a presque oubliée. Debout, très digne, elle fixe le maître du Phénix qui expire de soulagement au départ de tout ce beau monde. Il attrape un beignet et entame un mâchouillage aussi gustatif que relaxant. Son affaire est plutôt bien partie, non ? Il a racolé le client, tassé sa femme et est en train de se fabriquer un fabuleux contrat. Avoir des couilles, c'est pas si difficile que ça, finalement.

— Ernesto ?...

— Oui, madame Minella ?

DaSiggi mastique allègrement le beignet.

— Tu le sais comme moi : il faut bénir les corps... Fais venir un curé ici, samedi.

Ernesto sourit, secoue négativement la tête.

— Non, madame Minella.

— J'ai un ami qui est curé, un prêtre italien. Il viendra plus tôt, dans la journée. Personne le saura. Sauf toi, moi e Dio.

— Ce n'est pas dans la philosophie du Phénix.

— Ce n'est pas une question de philosophie ; c'est une question de foi. Dieu, il s'attend à ce que les gens, ils soient bénis dans la mort et...

— Non, madame Minella.

— *Ma ! Perché ?*

S'il avait un minimum de jugeote, Ernesto DaSiggi accepterait de se plier à cette demande innocente. Ça changerait quoi qu'un curé vienne, en cachette, faire des bondieuseries sur un cadavre ? Rien.

Là n'est pas la question. Ernesto DaSiggi agit légitimement dans sa quête d'affirmation virile. Il est en train d'apprendre à dire non et il doit aller au bout de son opinion.

Lecteur, si vous confondez affirmation virile et entêtement malsain, nous ne sommes pas sortis de ce roman...

Gonores Minella incline le visage vers la table jonchée de tasses salies. Il reste un beignet dans l'assiette. Quand elle reprend la parole, sa voix est plus grave, plus décidée.

— Aux Buffets Italiens, nous sommes très catholiques, Ernesto... Et nous ne savions pas, quand nous avons signé l'entente avec Le Phénix, que vos morts étaient incinérés sans bénédiction.

Ernesto DaSiggi, avant-dernier beignet avalé, croise les bras.

— Ça change quoi ?

— *Ma !* Ça change tout, mon garçon !

— Nous avons une entente commerciale...

— *Basta !*

Repoussant violemment sa chaise, Gonores Minella se lève et frappe d'une main dure la table. Les tasses salies sursautent.

— S'il n'y a pas de curé ici samedi, Ernesto DaSiggi, tu n'auras pas ton buffet !

— Madame Minella...

— Pas de buffet et la soirée se passe pas bien...

— C'est non !

— Et, si la soirée se passe pas bien, Monsieur Ferdinand, il ne te paie pas ! C'est lui qui l'a dit, hier !

DaSiggi se lève et regarde Gonores dans les yeux.

— Peu importe ce que les sandwichs des Buffets Italiens en pensent, y aura pas de curé ici, madame Minella ! Si vous venez faire du trouble, je vous avertis : j'irai discuter directement avec votre patron et nous changerons de représentante. C'est clair ?

Violemment, Gonores Minella ramasse son sac à main, tourne les talons et migre lourdement vers l'ascenseur.

DaSiggi la suit des yeux. Fichues bonnes femmes ! Toujours à faire de la chicane ! L'épouse qui boude et l'Italienne qui fait du chantage ! Qu'elles aillent au diable !

Et il avale d'un coup le dernier beignet.

Le Phénix (ISO 9004)

LES PROFESSIONNELS DU DEUIL

Au Phénix crématorium (ISO 9004), nous nous consacrons exclusivement à la crémation. Entièrement récupérée, la chaleur provenant de l'incinérateur alimente deux bains scandinaves situés dans le salon VIP. Cette innovation écologique dans le domaine du deuil permet non seulement à vos invités de s'offrir un moment de détente et de réconfort en bonne compagnie, mais vous garde énergétiquement vivant dans le karma universel.

Recueillies et broyées, vos cendres sont ensuite déposées dans des urnes. Au Phénix (ressources incinératoires, énergie renouvelable), nos urnes sont de véritables œuvres d'art, pièces de verre soufflé uniques faites par des artistes urbains qui les créent en s'inspirant des moments chauds de votre vie. Ces œuvres sont par la suite exposées au cœur de notre luxueux salon en une véritable installation muséale décontractée.

De plus, nous ouvrirons cet automne notre volet international. Toute votre vie, vous avez voyagé dans des contrées exotiques et vous craignez maintenant l'immobilisme de la mort ? Réjouissez-vous ! Nos œuvres feront bientôt partie d'une exposition tournante qui vous permettra de voler vers de nouvelles aventures !

Ainsi, vous ne serez jamais avalé par les vers de l'oubli, mais pourrez plutôt vous inscrire dans un continuum artistique — dans un ailleurs plus grand que vous, celui que réclamaient Baudelaire et Rimbaud quand ils s'adressaient à l'Absolu.

4 MERCREDI
THANATOLOGUE POUR LA VIE

En arrivant au centre de traumatologie, Oscar Bellemare, thanatologue indépendant, sent le gazon frais coupé. Après dix-neuf années à ramasser des cadavres dans toutes sortes d'états, c'est bien connu, Oscar Bellemare n'a plus d'odorat. Est-ce que ça le chagrine ? Disons plutôt que ça l'incommode.

En fait, et pour être complètement honnête, il vous avouera lui-même qu'il ne s'en était pas vraiment rendu compte — ou peut-être que si, mais sans y porter une attention particulière, jusqu'au jour où il avait lu, dans la revue *Thanatologue pour la Vie*, que l'odorat est le sens qui évoque avec le plus d'acuité les souvenirs les plus touchants. C'est alors qu'Oscar Bellemare s'était interrogé sur sa mémoire olfactive et s'était pointé, très tôt le lendemain, au Café Clochette, dans l'espoir d'y croiser un des employés des Laboratoires Odosenss, installés au troisième étage de l'Orphéon.

Il tomba sur Thibert qui mastiquait, toute dentition chevaline exhibée, une réglisse à la cerise en devisant nonchalamment avec Straz, l'employée asexuée du café. Bien que nous ignorions si Straz (chandails trop grands, cheveux mi-longs, voix sans inflexion particulière) est un homme ou une femme, j'utiliserai ici le féminin, car Oscar Bellemare souhaiterait beaucoup que ce soit une représentante du beau sexe. Il se sent une vague attirance (pas complètement « sexuelle », mais tout de même « physique ») à l'endroit de cette jeune personne.

C'est d'ailleurs la première fois de sa vie qu'une telle chose lui arrive et il ne sait pas trop (depuis deux ans) comment aborder l'aventure. Car Oscar Bellemare, quoique vous le trouviez séduisant, Mesdames, Mesdemoiselles (Messieurs ?), ne connaît pas les plaisirs sensuels. Les corps qui se tordent sous des caresses déplacées et les langues qui se vautrent dans la salive d'une bouche étrangère le mettent dans l'embarras. Est-ce un ascétisme désiré, un désordre affectif d'ordre psychanalytique ou une gêne monumentalement infranchissable ?

La réponse ne se trouve pas dans le ci-présent roman.

Toujours est-il qu'il est devenu, grâce à Straz, le client le plus assidu de la cafetière du Café Clochette.

Ce jour-là (revenons dans le vif du sujet), il commanda donc un grand café et, désireux de provoquer la discussion, se tourna vers l'homme aux bonbons pour lui en offrir un. Thibert refusa net.

— Ce café-là, il est pire que le jus de lessive de mon patron !

Étonné d'une telle réponse, le croque-mort ne rétorqua rien, prit son gobelet et paya Straz en la gratifiant d'un généreux pourboire qu'il souhaitait séducteur.

Puis, se tournant résolument vers Thibert, il s'informa :

— Vous travaillez bien chez Odosenss, les laboratoires d'odeurs ?

— Ouais...

Bellemare avait entraîné le jeune homme du côté de la baie vitrée et, debout devant le fleuve qui suivait son long cours tranquille, il avait, sur un ton intime, détaillé sa tragédie au mastiqueur de réglisse :

— Vous savez, tout homme (je dis « homme », mais je parle de qui ? de l'humanité entière ;

il s'agit uniquement d'un terme générique, car
j'admettrais — j'ajouterais même « aisément »
— que les femmes puissent être des hommes,
c'est-à-dire des humains, elles aussi — si elles le
souhaitent, bien sûr…), tout homme s'adapte à
son environnement (son travail, sa femme, ses
exigences, vous me comprenez, j'en suis certain) et alors moi, en tant qu'homme, j'ai choisi
de m'adapter à quoi ? À la mort. Car qu'est-ce
que la thanatologie, je vous le demande ? C'est
l'art de la mort — car tout travail qui devient
une passion se transforme (je dirais « à un
certain niveau ») en art. Et donc, ce qui
me passionne, c'est l'art (éphémère, nous en
conviendrons) de la mort. Je suis un artiste de
l'éphémère, ne nous le cachons pas, et, pour
adapter mon corps à ce métier, à cet art qui fait
mon quotidien, j'ai (involontairement, mais
tout de même) sacrifié (à la suite de quelque
traumatisme odorifique) mon odorat.

— Ah, bon.

— Or, dans cette revue — je ne saurais trop
vous recommander la lecture de *Thanatologue
pour la Vie* (bien qu'il faille être membre de la
Corporation pour avoir le privilège de s'y
abonner), dans laquelle il m'arrive moi-même
de commettre, quand l'occasion s'y prête, de
petits textes à la fois intellectuels et humoris-

tiques (dans la chronique « Un service en attire un autre »), dont je pourrais, si vous insistez, vous faire une photocopie...

— Faudra voir, je sais pas si...

— ... j'ai lu récemment un article éclairant, sur ma situation de « non-odorant » — le terme est de moi, vous le devinez. Il semblerait que l'odorat soit le sens qui évoque avec le plus d'acuité nos souvenirs les plus touchants. Vous imaginerez donc que je me sois questionné sur la chose !

Thibert De la Haye Duponsel affichait un sourire amusé.

— Oscar, me suis-je dit, as-tu des souvenirs touchants ? Des souvenirs touchants ! En ai-je ? Consterné, je dus m'avouer que non. Or, lorsqu'un être, thanatologue de formation, pigiste par choix et quinquagénaire par inadvertance, a perdu non seulement les images tendres de sa petite enfance, mais également l'usage du sens qui lui permettrait d'accéder à cet univers enfoui qu'on qualifie parfois de paradisiaque, n'est-il pas lourdement handicapé, je vous le demande ?

— Lourdement, c'est le mot.

— En conclusion, pour réactiver ce sens, cet odorat dont nous ne jouissons plus, pourriez-vous nous fabriquer des odeurs ?

Depuis, Oscar Bellemare fait chaque semaine un arrêt au troisième étage de l'Orphéon, s'asperge d'une nouvelle fragrance et
file au boulot. La semaine dernière, c'était une
senteur d'autobus scolaire (vagues relents jau-
nâtres de bottes boueuses, de lainages mouillés
et de lunchs pas frais) qui n'avait rien ranimé,
peut-être parce qu'Oscar Bellemare n'a jamais
pris l'autobus scolaire. Pour la semaine prochaine, il a commandé une odeur de petit
pain d'épice. En ce moment, il sent le gazon
frais coupé.

Et ça marche ?

Les résultats concrets se font attendre,
disons-le franchement, mais Oscar Bellemare
n'est pas homme à lâcher prise rapidement.

Certains jours, cependant, il est pratique de ne
pas avoir d'odorat. Par exemple, on ne se ca-
chera pas qu'il n'y a pas pire puanteur que dans
les catacombes de la morgue du centre de traumatologie. Pour s'y rendre, en effet, le thanatologue doit passer à côté de la décharge de
l'hôpital, ce qui écœure souverainement tout
le monde, sauf, évidemment, Oscar Bellemare. Le voilà donc qui traverse le lieu pesti-
lentiel en sifflotant et, poussant sa civière devant lui, qui arrive au comptoir de la morgue.

Le gardien de sécurité est là, un nouveau jeune boutonneux, qui feuillette des revues d'autos.

— Toi, t'es croque-mort, hein ?

— Croque-mort, ça n'est jamais qu'une expression populaire, car, à la vérité, nous sommes plutôt thanatologue. Et qu'est-ce que la thanatologie, je vous le demande ?

— J'sais pas.

— Le mot est divisé en deux parties : « thanatos » était, chez les Grecs, le dieu de la mort et « logos » désignait le discours, l'étude de. Ainsi donc, nous préférons le terme « thanatologue » (celui qui étudie la mort) à celui, nettement plus vulgaire, de « croque-mort ».

— Ben, là... T'étudies pas la mort : tu ramasses des cadavres ! Tu serais même plutôt un charognard...

— Attendez, mais attendez, jeune homme ! Le phénomène de la mort est un phénomène complexe qui, en soi, demande continuellement à être étudié et redéfini ! Par exemple, l'expression populaire « Ton chien est mort » signifie que votre projet ne pourra être mené à bien. Quand on dit : « Être mort à l'amour » (autre exemple), on parle d'un désintérêt émotif envers...

— Ben là, c'est pas ça, la mort !

— Qu'est-ce donc, alors, jeune homme ?

— Ben... C'est plus... physique...

— Là encore, permettez-nous de douter ! Quand il y a un cas de mort « cérébrale », appelle-t-on le thanatologue ?

— Heu...

— Non ! Vous nous direz : « Pas encore, mais bientôt ! » — car il s'agit bien souvent de cas destinés aux dons d'organes, ce qui peut être considéré, pour nous, comme d'éventuels clients, bien sûr.

— Faqu'y t'appellent quand y a pu d'organes ?

— On nous appelle lorsque la mort est patente.

— Patente ?

— Évidente. Les signes techniques qui indiquent la séparation absolue du moi s'imposent d'eux-mêmes pour ceux qui connaissent le métier — citons notamment la fin de toute activité cardiaque qu'indiquerait, par exemple, une ligne horizontale continue sur un électro-cardiogramme.

— Faque c'est là que tu vas le chercher !

— Voilà.

— Pis tu fais quoi avec ?

— On pourrait considérer le thanatologue comme un disposeur, un nettoyeur...

— C'est ça que j'disais : un charognard !

— Non, car qu'est-ce qu'un charognard, je vous le demande ? Un animal qui se nourrit de charogne. Or (et bien que notre salaire nous permette de nous nourrir), nous nous contentons quant à nous de disposer des corps, c'est-à-dire de venir les chercher pour les amener au Phénix crématorium (ISO 9004), où ils seront incinérés.

— Moi, en tout cas, j'vais pas travailler icitte toute ma vie, certain ! Vous êtes trop capotés... Tu viens-tu chercher la fille bizarre ?

— La Contorsionniste ?

— Ouais, c'est ça ! Est dans l'frigidaire ! Tu vas voir, 'est capotée ! Pour te dire : on a pas été capable de fermer le sac !

Le jeune gardien entraîne Oscar Bellemare vers le frigo, qu'il ouvre. Il passe devant le thanatologue, lui pointe une civière.

— Capoté, hein ?

Bellemare s'approche. Le mot est presque juste.

— C'est la seule façon qu'on a trouvée, pour la faire tenir. Sinon, a tombe à terre !

Bellemare observe la dépouille de la Contorsionniste. Rarissime. Intéressant.

— Ta civière est top ! J'en ai pas vu de même dans l'hôpital ! C'est un modèle pour cadavres ?

— Ergonomique.

— Hein ?

Patient autant que professionnel, Belle-mare se tourne vers le novice.

—Jeune homme, apprenez que vous avez devant vous la Cadillac des civières funéraires. La Furno 24-MAXX, heavy duty. Modèle unique, multiniveaux, jambes indépendantes, surface autonettoyante. Elle peut supporter jusqu'à mille livres tout en restant ultramaniable autant dans les escaliers que dans les endroits les plus étroits. Son design stylisé et reconnaissable est propre à Furno Industry, qui est le leader mondial de l'équipement mortuaire. Si, par ailleurs, vous étiez intéressé à vous en procurer une, je ne saurais trop vous la recommander. J'ai noté le numéro de catalogue quelque part...

Oscar Bellemare sort son calepin de sa poche.

— Heu, non, c'est correct ! J'en ai pas vraiment de besoin, là...

— Elle est pourtant recommandée par l'incontournable revue *Thanatologue pour la Vie* !

— Non, c'est cool...

Bellemare range son calepin et avance sa civière ergonomique vers la Contorsionniste.

— Thanatologue, c'est-tu payant ?

— Payant, payant ! Encore faut-il définir ce qu'est un salaire. Aider l'humanité peut, en tant que tel, être considéré comme un salaire par la valorisation directe que cela entraîne.

— Faque c'est pas payant ?

— Non.

— Ah. C'est plate.

Devant le corps contorsionné, le thanatologue réfléchit à la façon dont il s'y prendra.

— Toi, des fois, tu vas-tu sur des lieux d'accident ? Tu ramasses-tu du monde en jus pis toute ? Des yeux, mettons ?

Bellemare ne répond pas.

— Pis... Tu veux-tu que je t'aide ?

— Non.

Le thanatologue enfile des gants.

— Super, tes gants !

Bellemare s'arrête, soupire, regarde le jeune dans les yeux. C'est qu'il commence à en avoir assez de ce verbomoteur !

— J'veux dire : c'est cool... J'imagine que c'est nécessaire... à cause des microbes... heu... Pis icitte, en plus, c'est dégueulasse...

— Dégueulasse ? Ce sont des corps humains, jeune homme ! Un peu de respect !

— Ben, c'est pas ça que j'veux dire ! Pas icitte-icitte, mais dans le corridor, mettons... à cause des vidanges... j'veux dire : ça pue, en tabar...

— Ça pue ?

Bellemare ouvre de grands yeux.

— Ben… ouais.

— Fort ? Vous voulez dire que ça sent très fort ?

— Ben… ça sent vraiment dégueulasse, là !

— Et vous le sentez ?

— Ouais… ça donne mal au cœur !

— Intéressant. Vous ne connaissez pas votre chance !

Le jeune gardien se tait. Décidément, il a hâte de rentrer dans la police !

De nouveau très calme, Bellemare transfère habilement le corps contorsionné sur sa civière.

— C'est fou pareil, hein ? Mourir de même ? J'veux dire… en forme de…

— Fou ? Est-ce le bon mot ?

— Non, non, c'est correct : r'commence pas !

Interloqué, Bellemare fronce les sourcils. L'autre en profite :

— Faudrait que tu signes mon papier !

Poussant sa civière, Bellemare avance vers le bureau du jeune homme, s'arrête, se penche pour signer.

— Tu viens-tu de la campagne ?

Le thanatologue hausse un sourcil.

— Ben… on dirait que tu sens le gazon…

Quand Ernesto DaSiggi est arrivé au Phénix, toujours le même matin, Oscar Bellemare finissait son café, complètement absorbé par le dernier numéro de sa revue préférée qui portait sur les techniques de maquillage. Vous alléguerez que la question concerne peu l'homme, puisque Le Phénix (soirées chics, corps superfétatoires) bannit autant l'exposition cadavérique que l'embaumement, mais, professionnel jusqu'au bout des ongles, Oscar Bellemare se fait un devoir de connaître à fond son métier.

Plongé dans un article vivement prenant qui compare les divers fonds de teint disponibles sur le marché (pouvoir couvrant, opacité du produit, résistance au passage du temps), il sursaute lorsque DaSiggi s'approche et lui demande s'il est allé chercher la Contorsionniste.

— Ah ! Oui. À la première heure, nous nous sommes rendu au centre de traumatologie où nous avons récupéré le corps. Nous tenons à souligner, Ernesto, qu'il est particulièrement dégueulasse (c'est le mot, oui) de nous rendre à cette morgue.

DaSiggi arque un sourcil.

— Dégueulasse ?

— C'est qu'il faut, vois-tu, longer le corridor dans lequel l'hôpital entrepose ses vidanges.

Et en quoi cela est-il dérangeant, je te le demande ? C'est que ça pue, et nous ajouterons
même : horriblement.

— Comment tu peux savoir ça ? T'as pu
d'odorat !

Bellemare ferme sa revue.

— C'est le gars de la sécurité qui me l'a dit.

— Ah.

Moins frais qu'hier, cerné par une nuit
légèrement perturbée par les menaces italiennes de la veille, Ernesto tire un fauteuil et
s'affale à côté du thanatopracteur.

— Tu testes une nouvelle odeur ?

— Gazon frais coupé (numéro GFC63529),
oui.

— Ça fonctionne ?

— Non, mais ça ne veut rien dire, car j'ai
été élevé à la ville.

— Pourquoi t'as commandé une odeur qui
te rappellera rien ?

— La question doit être perçue dans un ensemble plus vaste que cela, Ernesto, car l'odorat
est un sens dont tous les humains sont investis.
Nous travaillons donc à partir d'une banque
de données olfactives générique. Quelles sont
les odeurs les plus propices à évoquer des
souvenirs chez tous les êtres humains ? Voilà la
question qui, dépassant mon cas particulier,

pourrait, si elle était résolue, servir la nation entière.

— Ah.

— Nous ne désespérons pas.

— Très bien.

DaSiggi se lève et se détourne du croque-mort. Il est peu porté à fréquenter Oscar Bellemare parce que, voyez-vous, le propriétaire du Phénix n'est pas très à l'aise avec les cadavres humains.

Quoi ?!

Lecteur, je vous ai dit dès le départ que DaSiggi n'était pas un vrai héros.

Contrairement aux familles de thanatologues pures et dures, celles dont l'arrière-grand-père, le grand-père, le père, le fils, le petit-fils, l'arrière-petit-fils et les neuf générations subséquentes ont embaumé, embaument et embaumeront perpétuellement les corps dans leur sous-sol ; celles qui ont vécu, vivent et vivront au deuxième étage du salon funéraire en se passant, éblouies des dernières tendances, les catalogues de cercueils autour de la table à dîner ; celles qui ont mangé, mangent et mangeront des sandwichs aux œufs pas de croûte en festins quotidiens, DaSiggi, lui, n'a connu, rappelons-le, que l'univers banal de la boucherie animale.

Quand sa femme a inauguré Le Phénix, il avait espéré que le malaise disparaîtrait, mais la vérité lui a sauté dessus plus vite qu'un zombie dans un cimetière : ne devient pas croque-mort qui veut et, malgré le métier, DaSiggi craint, disons-le franchement, la présence des corps humains défunts.

Oscar Bellemare est donc le seul thanato-practeur du Phénix ?

Oui, et disons qu'il a su tirer profit de la situation.

— Car que faut-il à Ernesto DaSiggi pour exercer son métier de vendeur, je vous le demande ? Un bureau tape-à-l'œil où le client sera séduit. Et en quoi cela serait-il différent de notre côté ? Un thanatologue souhaite que son client soit séduit ; que l'environnement soit confortable et ergonomique. C'est ce qui garantit le travail bien fait.

Las d'argumenter et désireux d'avoir le moins de contacts possible avec ces corps qui le rendent mal à l'aise, DaSiggi s'est plié à toutes les demandes ruineuses du thanatopracteur, pourvu que chacun reste sur son territoire. Bellemare s'est donc fait offrir par Le Phénix (ISO 9004) la civière ergonomique Furno 24-MAXX, la table d'embaumement en por-celaine THANA+, le four crématoire haute densité FGP, le tablier en caoutchouc ultra-résistant, les gants mauve antibactériens, et quoi encore ? Tout ce qui se fait de plus moderne, de plus chic et de plus cher, dont l'idée a été vantée et vendue à la revue *Thanatologue pour la Vie* — qui se fait un devoir de la vanter et de la vendre à son tour.

Mais récemment, Bellemare a commencé à abuser des bienfaits du Phénix. Il a d'abord exigé un nouvel habit de travail et des souliers orthopédiques, puis insisté pour obtenir un ordinateur de bureau (question de promouvoir la crémation sur les réseaux sociaux), un téléphone cellulaire (afin d'aller plus rapidement au-devant des corps) et a finalement perdu le contrôle : un cours d'incinération (en Asie, contrée initiatique des crémations humaines), un nouveau monte-charge (celui de l'Orphéon étant fort bruyant), un corbillard multicapacité (celui avec cloison, système de ventilation indépendant, intérieur *custom*, assez d'espace pour trois civières en cas d'hécatombe — le blanc, comme dans *CSI*).

Les caprices (hebdomadaires) de Bellemare pourraient rapidement jeter Le Phénix au fond de la faillite, aussi le propriétaire doit-il y mettre un frein. Mais, incapable de dire non, DaSiggi, depuis quelques mois, fait semblant d'ignorer, voire d'oublier les demandes exorbitantes de son thanatopracteur. Pour se venger, Bellemare (qui accepte assez mal de se faire serrer les cordons de la bourse) a tenté, une fois ou deux, de coincer son patron près d'un mort pour le faire craquer. Aussi DaSiggi se méfie-t-il du funèbre laboratoire comme d'un piège à ours.

Malheureusement pour lui, aujourd'hui Bellemare a véritablement besoin de lui.

— Ah, oui, c'est vrai, Ernesto, nous avons besoin de toi dans notre laboratoire.

DaSiggi secoue négativement la tête. Oscar Bellemare se lève.

— C'est que nous ignorons comment résoudre la problématique que nous pose le corps actuel...

Comme s'il avait peur que le magnétisme du croque-mort l'entraîne malgré lui, le propriétaire du Phénix recule d'un pas. Bellemare avance.

— La position corporelle – pour ne pas dire athlétique – de la femme...

— Tu m'as déjà dit que la rigidité cadavérique...

— Il ne s'agit pas ici de rigidité, mais bien de positionnement...

— Mets-la dans une boîte !

— … et qu'entendons-nous par « positionnement » ? Un enlacement des membres qui,
entrecroisés de manière aussi serrée qu'inattendue…

— J'irai pas !

— … donne au cadavre des arcs latéraux et
transversaux pour ainsi dire spectaculaires.

— Tu vas me coincer…

— Il faut dénouer ce corps, car, d'un point
de vue entièrement pratique (et qu'entendons-
nous par « pratique » ?…

— Tu dois vouloir que je t'achète quelque
chose…

— … nous entendons une faisabilité primaire et non un plaisir esthétique superféta-
toire), nous serons dans l'impossibilité de brûler la dépouille dans l'état où elle se trouve.

Bellemare avance vers la porte du laboratoire, mais DaSiggi ne suit pas.

— Non, Oscar.

Ernesto s'entête et…

Et je commence à trouver qu'il s'en sort un
peu trop bien ! Lui qui a vécu dans l'ombre
bedonnante de son père, dans l'ombre déçue
de sa femme, il parviendrait comme ça, du
jour au lendemain, à s'inventer une paire de
couilles, à tasser tout le monde et à se faire le
gros client tout seul ? N'est-ce pas un peu

facile? Vous, lecteur, affirmiez tout à l'heure qu'Ernesto DaSiggi était dans une quête de virilité légitime, alors pourquoi ne pas le mettre un peu à l'épreuve? Il faut bien tester son héros pour l'admirer, non? Envoyons donc du secours à Bellemare...

Soudain, les deux hommes entendent le monte-charge qui, dans d'abominables grincements inquiétants, s'immobilise devant l'étage du Phénix. Les portes s'ouvrent et la voix de Frugère Lalancette mariée Sigouin devenue DaSiggi, commandant à l'équipe de décorateurs de sortir le matériel, s'en échappe avec force:

— Commencez l'installation! Je trouve mon mari et je reviens tout de suite! Ernesto!

Sans un mot, Oscar Bellemare ouvre la porte du laboratoire et DaSiggi s'y engouffre.

— Oh.

DaSiggi reste loin. Collé au mur, il fixe le corps contorsionné trônant bizarrement sur la table d'embaumement en porcelaine THANA+.

— Il faudrait que tu prennes des gants.

— C'est pas une autre paire de bras qu'il te faut...

— Quoi, alors?

— La clé du casse-tête.

— Quelqu'un qui s'y connaîtrait en yoga?

— Non. En nœuds marins.

Un instant, les deux hommes restent silencieux. Puis, comme si Bellemare venait de se rappeler un détail important, le voilà qui se tourne vers DaSiggi.

— Il faut que nous te parlions d'autre chose.

DaSiggi déglutit. Le croque-mort bloque la porte. DaSiggi se glisse vers la droite.

— Samedi, si j'ai bien compris, nous allons incinérer de deux à quatre corps.

DaSiggi remonte le long du mur...

— Nous devrons laisser le four chauffer de quatre à huit heures (deux heures par corps).

... contourne la Contorsionniste...

— Or, nous nous sommes aperçu que nous ne pourrions travailler ici sans risque.

... tente de se faufiler entre la table THANA+ et la porte du frigo (où gît, songe-t-il soudain avec effroi, le corps de feu le Cracheur de Feu)...

— Ernesto !

D'un geste, Oscar Bellemare pousse la civière Furno 24-MAXX de l'autre côté de la table THANA+ et bloque la remontée du propriétaire du Phénix.

— Notre four crématoire (fabrication FGP, car les entreprises FGP sont un joueur important dans le domaine de la combustion industrielle, grande expérience, passion de ses membres, recherche de nouvelles solutions technologiques sont leurs maîtres-mots) est un four unique et sécuritaire, qui peut, le cas échéant, chauffer pendant plusieurs heures. Craignons-nous les émanations toxiques ? Non, car la famille Prieur ne vend que des fours certifiés éco-plus.

DaSiggi doit rebrousser chemin.

— Nous, Oscar Bellemare thanatologue enregistré, nous démarrerons comme prévu la première incinération à dix-sept heures (HAE). La chambre secondaire du four chauffera à plein, ce qui veut dire à combien, je te le demande ? À mille deux cents degrés Celsius. La température de la chambre primaire du four, où nous insérerons le corps, sera alors à deux cents degrés Celsius et augmentera, sous le feu crématoire, jusqu'à six cents degrés Celsius. Or, qu'arrivera-t-il lorsque nous sortirons les cendres d'un premier corps pour en insérer un second, d'un second pour en incinérer un troisième, d'un troisième pour en incinérer un quatrième, je te le demande ?

Le propriétaire du Phénix (ISO 9004) revient vers la gauche...

— Si la chambre primaire est à six cents degrés, une telle manœuvre pourrait entraîner, pendant la mise au four, une combustion spontanée du cadavre nouvellement inséré, ce qui

risquerait de produire quoi ? Des brûlures !
Et pas n'importe lesquelles ! Nous parlons ici
des premier, deuxième et/ou troisième degrés
sur le et/ou les bras de qui ? Du thanatologue !

... la porte est obstruée par le croque-mort,
mais DaSiggi tente une percée.

— T'as lu ça dans ta revue ?

Froissé, Bellemare fait la moue. Numéro 96, automne-hiver 2011-2012, mais il
ne le dira certainement pas.

— Il nous faut des gants spéciaux. Les gants
Fighter4, de Rosting International...

— Non !

DaSiggi résiste...

— Ces gants pompiers cinq doigts...

— Non, Oscar !

... baisse la tête et fonce. Bellemare bloque,
repousse l'assaut.

— Il nous faut ces gants ! Le catalogue Rosting International indique un délai formel
de livraison de deux jours : tu dois passer la
commande immédiatement !

DaSiggi bataille dans le coin.

— C'est une question de sécurité !

— Non !

Les adversaires s'immobilisent un instant.

— Nous, Oscar Bellemare thanatologue enregistré, nous ne faisons pas de compromis sur

les questions de sécurité! Nous voulons ces gants! C'est à cette seule condition que nous travaillerons ici samedi soir!

— Non!

DaSiggi y arrivera-t-il? Il repousse violemment le croque-mort, rejoint la poignée, ouvre la porte à toute volée et:

— Monsieur DaSuigi! Je vous cherchais! Mademoiselle Gonores ne serait pas ici, par hasard?

Monsieur Loyal Ferdinand LaBaffe de LaVignole entre, fait reculer DaSiggi de trois pas, aperçoit la Contorsionniste, suspend son élan, puis s'avance fermement vers la table d'embaumement THANA+.

— Hé oui, Mesdames, Mesdemoiselles, Messieurs, c'est bien elle! Le Cirque Flagada Circus est fier de vous présenter la plus grande, la plus fabuleuse, la plus extraordinaire contorsionniste que la ville, le pays, la terre et l'univers ont connue jusqu'à ce jour! Si j'avais eu mon accordéon, je vous aurais volontiers joué l'air lié à cette spectaculaire contorsion, dite du scorpion inversé. Pour lui faire honneur, Monsieur Loyal Ferdinand LaBaffe de LaVignole ici présent va fredonner cet air devant vous!

Tout de go, le directeur du cirque entonne, *ri-pan-pan*, un air de valse dans son habit d'apparat marine et vert pomme. Oscar Bellemare, thanatologue enregistré et maître de son laboratoire, reprend le contrôle de la situation. Collé contre la porte, DaSiggi, lui, guette le premier moment d'inattention pour sortir.

— Nous admirons la position extraordinaire du corps de l'artiste, mais il nous met devant une situation sans pareille, à savoir comment, mais comment le dénouer ? Car il nous faut le dénouer.

Le maître d'arène s'interrompt.

— Mais... Pourquoi ? C'était son plus grand numéro !

— Pour l'incinérer. Ainsi noué, ce corps ne peut entrer dans notre four crématoire. Or, nous ignorons comment le défaire...

— Ah. Je comprends. Dans ce cas, je vais vous aider.

— Vous ?

— Oui, moi, monsieur Loyal Ferdinand LaBaffe de LaVignole ! Voilà plus de trente ans que je la vois faire ce tour ! Si elle avait été vivante, j'aurais eu peur de la blesser, mais, maintenant qu'elle est morte, je saurai y faire !

Le maître d'arène fonce vers la table, mais Oscar Bellemare le rattrape et l'arrête.

— Attention ! Il faut mettre des gants !

— Des gants ?!

— On n'est jamais, mais jamais trop prudent avec les bactéries qui envahissent les corps défunts. Aussi allons-nous vous prêter des gants. Mais dites-moi : vos ongles sont-ils coupés de près ?

— Évidemment, mon ami !

— Les avez-vous limés ?

— Bien sûr ! Pour qui me prenez-vous ?

— Laissez-moi les examiner. Car, voyez-vous, il n'y a rien, mais rien de plus important, pour un thanatologue, que quoi ?

— Que les ongles ?

— Que les ongles !

Par-dessus une jambe de Contorsionniste, Monsieur Loyal Ferdinand LaBaffe de La-Vignole tend ses mains qu'Oscar Bellemare étudie sous la lumière.

— Car, si les ongles sont trop longs ou trop coupants, il se passera quoi, je vous le demande ?

— Ils déchireront les gants ?

— Ils déchireront les gants ! Et alors, direz-vous ?

— Et alors ?

— Et alors tout, mais tout peut arriver, Monsieur Loyal Ferdinand LaBaffe de LaVignole ! La prolifération bactérienne peut survenir à n'importe quel moment ! C'est d'un danger terrible, pour ne pas dire mortel, surtout quand nous sommes devant un corps en état de putréfaction (semi-avancée) ou carrément liquéfié. Le gant qui se déchire sur l'ongle mal taillé entraîne immédiatement le doigt du thanatologue à entrer en contact avec le jus putrificatoire.

Monsieur Loyal, dressé comme un enfant devant le maître d'école, attend l'autorisation d'enfiler les gants. Pendant ce temps, vous vous retournez et constatez : mais où est passé Ernesto DaSiggi ? Il a quitté la pièce, profitant du moment où vous lisiez ailleurs. Imperturbable, Oscar Bellemare, thanatologue enregistré, continue.

— Dans ce cas-ci, évidemment, vous direz que le corps, sans blessure apparente, ne coule de nulle part et les risques, bien sûr, vous semblent minimes. Mais nous ne sommes jamais à l'abri, nous disons bien : jamais, des risques de déchirures des tissus corporels. Aussi la manipulation doit-elle être délicate, pour être entièrement sécuritaire.

Oscar Bellemare se tourne, ouvre avec majesté une armoire murale dont il extirpe précautionneusement une paire de gants qu'il tend à Monsieur Loyal Ferdinand LaBaffe de LaVignole.

— Vous enfilez actuellement la crème des gants. Légèrement lubrifiés, ils permettent à vos mains de s'y insérer en douceur ; telle une seconde peau, ils épousent sensuellement les contours de vos doigts. Ils sont certifiés non allergènes, ultraminces, résistants et inodores ; nous les choisissons quant à nous légèrement nervurés afin d'obtenir une meilleure dextérité et plus de sensations.

Monsieur Loyal étire ses doigts.

— Impressionnant !

Puis les hommes entament le dénouement de la Contorsionniste, avec délicatesse et doigté, en commençant (c'est le truc) par le plexus solaire.

— Dites-moi, Monsieur Loyal Ferdinand LaBaffe de LaVignole, votre cirque compte-t-il toujours nous fournir quatre corps ?

— Ah ! Vous me rappelez que c'est la raison pour laquelle je venais rencontrer Ernesto Da-Siggi : pour vous annoncer une triste nouvelle.

— Et quelle est cette triste nouvelle, je vous le demande ?

— Le Cirque Flagada Circus, qui prépare actuellement une soirée extraordinaire au Phénix crématorium…

— ISO 9004.

— … vous annonce officiellement que, à la suite de notre dernière visite à l'hôpital, il semble maintenant définitif, aux yeux des médecins traitants, que l'Homme Canon s'en tirera.

— Malheureux, en effet, commente le croque-mort en déroulant une jambe.

— Sans compter que, d'une certaine façon, c'est lui le responsable. Mais n'ayez crainte : l'homme ne reprendra pas le canon chez nous !

— Le tir de canon, n'est-ce pas un peu démodé, je vous le demande ?

— Mon ami ! La canonnade, c'est comme le cirque : ça ne se démode jamais !

Ces messieurs libèrent le sacrum.

— Malgré ce revirement inattendu, nous ne désespérons pas d'avoir une belle et grande cérémonie, car nous avons deux artistes défun-tisés, sans parler de l'état du Clown, qui est de plus en plus précaire.

Le maître d'arène déplie le méridien sto-macal de la Contorsionniste.

— J'aimerais aussi que vous nous rassuriez, moi et le Cirque Flagada Circus : Le Phénix sera prêt pour cette grande soirée crématoire, n'est-ce pas ? Car s'il y avait un ennui et que la soirée tournait mal...

— Ne vous inquiétez pas, Le Phénix créma-torium n'a qu'une parole...

Une dernière gymnastique de la glande pi-néale achève de ramener feue là Contorsion-niste dans une position à peu près acceptable.

— Elle a l'air étrange...

— Vous trouvez ?

— C'est la première fois que je la vois complètement dépliée...

Maintenant que la Contorsionniste est déroulée, Oscar Bellemare doit la glisser dans un contenant de crémation et la mettre au frais. Ça devient embarrassant, car la Corporation des professionnels du deuil interdit la fréquentation des corps non embaumés aux non-membres. Or, vous en conviendrez comme moi, Monsieur Loyal Ferdinand LaBaffe de LaVignole a déjà violemment enfreint cette règle. Oscar Bellemare souhaiterait maintenant exécuter la suite des manœuvres en solitaire. Il faudrait donc faire sortir le directeur du cirque qui, d'ailleurs, était venu pour rencontrer ce poltron de DaSiggi...

Poltron ? Vous êtes tyrannique envers Ernesto DaSiggi ! Vous l'avez cruellement mis dans l'embarras devant tous les lecteurs et le traitez maintenant de poltron ! Vos injustes mises en scène dévaloriseraient n'importe quel héros !

Mes « injustes mises en scène » ? Lecteur, ce n'est pas vous qui écrivez ce roman et ça paraît ! De l'extérieur, ça semble facile de coordonner tout ça, mais ça ne l'est pas ! Tenez : puisque vous pensez qu'une option en vaut une autre, je peux bien vous offrir la chance (exceptionnelle !) de décider de la suite. D'accord ?

Nous devons, à l'heure qu'il est, faire sortir Monsieur Loyal Ferdinand LaBaffe de La-Vignole du laboratoire d'Oscar Bellemare. Comment faire ? Pour vous faciliter la tâche, je vous offre deux possibilités.

Un lecteur propre, sage, intelligent et sensé préférerait l'option I et se dirait que, par souci d'hygiène, Monsieur Loyal Ferdinand La-Baffe de LaVignole va se laver les mains précautionneusement avec le savon désinfectant antibactérien Bacto-NET d'Oscar Bellemare, puis, question d'informer le propriétaire du Phénix des derniers développements, va rejoindre le protagoniste de cette histoire, Ernesto DaSiggi, qui, redevenu obéissant l'espace d'un demi-chapitre, aide sa femme et les décorateurs qui sont en train de monter de fabuleux décors dans le salon en se donnant mutuellement des ordres glaciaux. C'est l'option que, personnellement, je favoriserais afin que le roman se déroule sans heurts. En choisissant cette option, vous avez la possibilité de sauter la page suivante et de rejoindre, un peu plus bas, la suite et fin de ce chapitre.

Cela dit, un lecteur récalcitrant, voire belliqueux, pourrait choisir l'option 2, qu'il considérerait, à la légère, comme étant plus... festive. Il pourrait imaginer qu'Ernesto DaSiggi, fuyant Frugère Lalancette mariée Sigouin devenue DaSiggi, serait allé boire la moitié d'une bouteille de rhum en cachette dans son bureau (pendant que les décorateurs obéissaient à madame la patronne et que la Contorsionniste se faisait décontorsionner). Sur le coup d'une inspiration soudaine, le propriétaire du Phénix se serait alors dit que, pour réjouir son client et le détourner de la grasse Italienne, il devrait (suivant le conseil de feu son père : « Multiplie les femmes, mon gars, ça coûte moins cher que d'en entretenir rien qu'une ! ») lui présenter une des escortes du deuxième, plus précisément la grasse Agathe qui correspondrait probablement aux critères fougueux du directeur du cirque. Passant de l'idée à l'acte, il aurait alors lâché un coup de fil au deuxième, attrapé une bouteille dans le bar et, entrebâillant la porte du funeste laboratoire, il aurait interpellé le directeur du Cirque Flagada Circus, lequel serait vite allé le rejoindre pour filer en douce vers l'étage de Bleu Communication. Si vous choisissez l'option 2, vous avez lu le paragraphe précédent pour rien.

Oscar Bellemare, quant à lui, a placé le corps de la Contorsionniste dans son funeste contenant pendant que vous lisiez, indécis, les paragraphes précédents et le voilà qui pousse maintenant la civière dans le frigo. Enfin, il retire ses gants, se lave méticuleusement les mains et revient, entêté, à sa préoccupation du jour.

Sortant du laboratoire, il cherche Ernesto DaSiggi et intercepte, dans le brouhaha des décorateurs, Frugère Lalancette mariée Sigouin devenue DaSiggi.

— Madame Frugère... Auriez-vous vu Ernesto, par hasard ?

Elle hausse les épaules.

— Mon mari vient de partir avec le gars du cirque.

Pardon ?! Vous avez opté pour l'option festive, lecteur ? Vous avez vraiment envoyé Ernesto chez les putes ?? Mais vous n'avez rien compris !

Maintenant, Bellemare est franchement embarrassé.

— Madame Frugère, pour la soirée de samedi, je dois passer une commande extraordinaire...

— Une commande ?

— Pour de multiples incinérations, il serait essentiel de nous procurer les gants spéciaux Figther4, de Rosting International. Ces gants pompiers cinq doigts (pouce opposé rapporté avec montage aiguillette) sont équipés d'un renfort-dos et d'un protège-artère en fleur bovine hydrofuge et antichaleur. Doublure interlock para-aramide, élastique de serrage poignet par velcro anticoupure...

— Oscar...

— Fabriqués pour vous protéger, ils sont utilisables toute l'année durant !

— T'exagères...

— Il faut les commander aujourd'hui !

— Oscar...

— Sans ces gants, nous ne pourrons travailler ici samedi !

Frugère Lalancette mariée Sigouin devenue DaSiggi hausse les épaules.

— Demande à Ernesto, c'est lui qui s'occupe des commandes, surtout cette semaine !

— Je voudrais bien, mais le lecteur vient de l'envoyer festoyer avec les escortes du deuxième, en compagnie de Monsieur Loyal Ferdinand LaBaffe de LaVignole.

— QUOI ?!

Et voilà le travail !

Bravo, lecteur, ah oui, bravo !

Pas moyen de vous laisser une petite liberté ! Dès la première option disponible, vous mettez le trouble ! Vous, là, bien assis dans votre fauteuil, vous avez décidé, comme ça, pour rire, que DaSiggi irait voir les putes en compagnie de Monsieur Loyal Ferdinand LaBaffe de LaVignole et vous n'avez pas pensé une minute que Frugère Lalancette mariée Sigouin devenue DaSiggi risquait de l'apprendre ?! Non ! Vous n'avez jamais pensé aux conséquences, évidemment ! Et alors, pendant que vous imaginez DaSiggi en pleine partie de jambes en l'air, il faudrait que moi, je me tape la fureur noire de Frugère Lalancette mariée Sigouin enragée DaSiggi ?

Hé bien, ça ne se passera pas de même !

Apprenez une chose, lecteur : ici, c'est moi qui mène !

Je peux faire ce que je veux dans ce roman-là, est-ce clair ?

Est-ce assez clair ?

Si vous vous rangez du côté d'Ernesto et pensez vous amuser avec les escortes de Bleu Communication pendant que je ramasse vos pots cassés, vous mettez le doigt dans l'œil ! En ce qui me concerne, je m'en lave les mains autant que le clavier : arrangez-vous avec la crise de Frugère Lalancette mariée Sigouin devenue DaSiggi ; moi, j'arrête le chapitre ici.

Le Phénix (ISO 9004)

VOTRE ULTIME PARTY

Lorsque vous aurez tiré votre dernière révérence, si vous décidez de faire affaire ailleurs qu'au Phénix (crémation ultime, expérience enlevante), vos amis entreront au salon et sentiront immédiatement l'atmosphère lourde, triste, mélancolique qui règne toujours dans ce genre d'endroit.

Il leur faudra endurer la musique d'ascenseur, tenter d'ingurgiter un café similaire à celui du Café Clochette (odeur de pipi de chat ét goût de térébenthine, selon Corax[1]). Le décor sera moche, la lumière crue, l'ambiance fade ; ils retourneront chez eux appesantis, déprimés, endeuillés malgré eux.

Pensez-y.

Ne rêvez-vous pas que votre dernier party soit le meilleur ? Qu'il y ait une chaude ambiance, de la bonne musique — votre musique ? Vous souhaitez qu'on s'amuse, qu'on déguste

---

1. Allez lire *Corax*, de Stéphane Dompierre, vous verrez bien !

des bouchées savoureuses, qu'on boive des al-
cools exotiques, qu'on tamise les lumières…
Vous voulez que la soirée soit mémorable et
qu'on célèbre votre nom, n'est-ce pas ?

Vous, vous êtes moderne et authentique.
Vous exigez l'excellence, l'originalité, le luxe.
Alors venez, dès aujourd'hui, au Phénix cré-
matorium (ISO 9004) et planifiez des pré-
arrangements haut de gamme hors de prix !
Venez vivre l'expérience Phénix.

Vous ne serez pas déçu !

Vos invités gémiront : « Quelle façon sexy
de mourir ! », s'extasieront : « Quelle classe ! »,
s'enflammeront : « Il aurait dû mourir plus
souvent ! »

Au Phénix crématorium (ISO 9004), vous
ressusciterez d'entre vos cendres !

JEUDI
À VOILE ET À VAPEUR

5

DJ Lampion arrive tôt à l'Orphéon, cet après-midi. C'est qu'il est excité.

De revoir Ernesto ?

Oui, évidemment, mais aussi de rencontrer le directeur du Cirque Flagada Circus ! Être le DJ de leur soirée crématoire ! DJ Lampion se forge une sacrée félicité : ce sera la gloire !

Il stationne sa nouvelle décapotable en face de l'Orphéon, sort, puis hésite. Il regarde sa montre : il est un peu en avance... Faudrait pas qu'il ait l'air démesurément empressé non plus... Flanqué devant les portes vitrées de l'Orphéon, qui lui renvoient son reflet, il en profite pour vérifier son look : nouveau t-shirt vintage de Michel Louvain, jean vert ajusté, souliers en tissu multicolore — il aime cultiver son côté coquin. D'un geste

de la tête, il replace son toupet vers la droite.
Il a une mèche rebelle.

Il entre dans l'immeuble, salue le gardien
— il a toujours eu un faible pour les hommes
plus vieux, particulièrement pour les mousta-
chus. Mais M. Béland lui répond à peine. Ça
chagrine DJ Lampion, ce type de comporte-
ment : un jour, M. Béland est charmant et, le
lendemain, il est bête comme ses pieds ! DJ
trouve ça difficile. Il est sensible et il peine à s'y
habituer.

Il file aux toilettes du rez-de-chaussée.
Devant le miroir, il mouille sa mèche rebelle
qu'il replace et tient un moment dans la
bonne position. Re-sourire coquet. Voilà : c'est
réussi ! Il regarde l'heure : il a encore le temps
d'acheter des surettes au Café Clochette, avant
de monter. Il ouvre la porte des toilettes et…
Et tombe face à face avec Johnny Net ! Lui,
Johnny Net, DJ l'aime pas !

— Pis quoi ? Monsieur l'exploiteur du
premier ! Trop cheap pour te payer une toilette
dans ton bureau ?

— DJ, laisse-moi passer, je suis vraiment
pressé !

— Pis je le sais, oké ? Tellement pressé que,
quand tes amis sont dans 'a marde, tu veux pu
les aider !

— Crisse, t'es pas mon ami, t'as été mon client ! Lâche-moi pis...

— C'est vrai, tu dois pas avoir d'amis, toi : ça rapporte pas assez !

— Laisse-moi passer sinon je te vomis dessus !

DJ Lampion cligne des yeux, ahuri, recule d'un pas, grimace de dépit.

— Tu me pousses ! T'es encore plus méprisable que je pensais, oké ?

L'autre passe à toute allure et se précipite dans un des cabinets. DJ Lampion le laisse vomir seul. Il en a long sur le cœur, mais il le dira pas. En tout cas, pas à lui !

J'entends ici le lecteur mal informé (et j'emploie ici le terme « lecteur » dans un sens englobant la femme, car, comme le dirait Oscar Bellemare, toute femme qui s'assume en tant que lectrice pourrait être un lecteur si elle le voulait) réclamer des éclaircissements sur le sujet.

C'est que, adolescent, DJ Lampion s'était senti une âme d'artiste de la musique. Trop paresseux pour apprendre à jouer d'un instrument, il s'était procuré une vieille console chez le receleur et s'était illico autoproclamé DJ. Il avait ainsi animé quelques soirées familiales chez sa tante Sylvie, où on l'avait fort apprécié.

Mais, quand il avait tenté de vendre ses talents
dans divers bars de la ville, il avait fait chou
blanc. Le hic, ce n'était pas tant son absence de
talent ou son peu de goût en matière de
musique, mais la pauvreté de sa discothèque.

DJ Lampion est-il cheap ?

— Cheap ? Ça a rien à voir, oké ? Un
homme est pas obligé de consacrer tout son
salaire à son travail, oké ?

Disons que DJ Lampion est économe.

— Pis ? Une grosse discothèque ne fait pas
un bon animateur, oké ? J'ai beaucoup cher-
ché comment me faire mousser la carrière,
mais c'est pas facile de mettre le doigt sur la
dysfonction érectile d'une entreprise person-
nelle, oké ? Vraiment pas facile. Pis c'est ques-
tionnant, dans le monde qu'on vit quand
qu'on n'arrive pas à se faire lever, oké ?

Il était allé rencontrer Johnny Net, qui se
spécialisait dans les vedettes éclair.

— C'est ma tante Sylvie qui me l'avait
conseillé !

Johnny Net, premier étage de l'Orphéon, a
la réputation de vous refiler les meilleurs trucs
en ville pour faire un tabac sur YouTube. Le
truc qu'il avait donné à DJ pour se faire mousser avait été aussi simple que logique : il lui
avait suggéré de devenir DJ dans des fêtes de

famille plutôt que dans des bars. Il pourrait ainsi utiliser les disques des gens chez lesquels il se rendait. Ses clients seraient ainsi toujours satisfaits de la musique puisque ce serait leur musique !

Suivant ce conseil qu'il avait jugé stupéfiant de bon sens, notre DJ (sous le pseudonyme de DJ Maison) avait élaboré une petite vidéo, dont le slogan « Je scratche vos disques ! » avait fait fureur sur la toile. Il avait connu un succès étonnant : pendant six mois, les gens se l'arrachaient, l'invitaient chez eux, lui faisaient animer d'interminables soirées, prenaient des photos en sa compagnie... Mais on le sait : la gloire, bien souvent, n'est qu'un feu d'artifice et DJ Maison l'avait appris durement.

— Très durement.

Rapide dans l'ascension, lumineux dans le jet, il s'était éteint dans la dégringolade tel un pétard mouillé sur un gazon de banlieue. À peine un an après cette escalade fulgurante au sommet des tables tournantes familiales, il était retombé à plat. Pire : on s'était mis à l'imiter, à le singer, à s'en moquer. Il avait alors compris qu'il avait fait, comme on dit par chez nous, un fou de lui.

C'est là qu'il était retourné voir Johnny Net.

— Pis j'aurais jamais dû !

Il lui avait expliqué que tout ça le blessait,
qu'il se sentait humilié, qu'il lui avait fait
confiance et qu'on avait ri de lui. Est-ce que
Johnny allait réparer l'affaire ?

— Ç'aurait été la moindre des choses, oké ?

Peu compatissant, le conseiller (dont les
services ont une garantie fort limitée) s'était
contenté de sourire à la demande :

— Je n'ai rien à réparer. Vous souhaitiez devenir une vedette, je vous ai aidé. Maintenant, si
vous souhaitez que mes conseils vous projettent
de nouveau vers la gloire, c'est possible. Mais
pas gratuitement.

Frustré, fâché, blessé, amèrement déçu, DJ
avait alors claqué la porte (la scène avait d'ailleurs été plutôt vexante parce que l'ascenseur
avait pris au moins trois minutes d'humiliation
avant d'arriver à l'étage) de ce bureau maudit
et s'en était allé en se disant qu'il quitterait à
jamais le pays. Ou la ville. Ou le quartier. Ou,
au moins, le building !

La suite lui donnerait tort.

— C'est là que j'ai rencontré Ernesto. Dans
l'ascenseur de l'Orphéon.

Ernesto avait trouvé le jeune homme…

— Attendrissant ! C'est le mot qu'il a dit !

Il avait écouté son mélodrame et lui avait
offert, entre autres choses, de travailler au
Phénix.

— Pis il a dit que je pourrais animer les soirées avec les musiques préférées des défunts.
C'est les héritiers qui me procurent les disques. C'est la job que je rêvais... comme idéale !

Ayant trouvé dans cet emploi une nouvelle
occasion de s'accomplir, le jeune homme
optant pour le pseudonyme de DJ Lampion...

— Ça fait top class !

... avait sauté sur l'occasion — et sur le
maître du crématorium.

Ainsi, chaque jeudi après-midi, DJ Lampion se rend au Phénix pour prendre le pouls
musical de la famille du défunt, puis revient
égayer la soirée du samedi. Il passe aussi au
Phénix dans la semaine, mais uniquement sur
invitation.

— Pis je suis actuellement un cours de cuisine japonaise, si jamais que ça intéressait
quelqu'un, oké ?

Il rêve d'animer un show télévisé de cuisine
orientale sur la palourde royale...

— Je suis disponible, oké ?

... et, accessoirement, de devenir une grande
vedette.

Dédaignant Johnny Net, DJ Lampion étire un
pas froissé jusqu'au Café Clochette. Straz est là,
appuyé sur le comptoir. Il feuillette le *Potins-Police*.

— Des surettes ?

DJ prend les bonbons. C'est enfantin, mais il aime les surettes.

— Tu feuillettes *Potins-Police* ?

DJ Lampion (déformation professionnelle ou maladresse insupportable héritée de sa tendre enfance ?) passe son temps à énoncer des évidences visuelles à voix haute.

Straz sourit. Il lui sourit souvent ainsi, mais DJ Lampion ne se sent pas attiré, non. L'autre est trop asexué et ça le met mal à l'aise dans sa propre identité.

— Y a des nouvelles de votre cirque.

— Ah oui ?

DJ prend un sachet de surettes, fouille dans son sac, pose la monnaie sur le comptoir.

— Vous avez un gars de cirque, cette semaine…

— Je le sais : je le rencontre aujourd'hui. Entre artistes, on a des choses à se dire…

Straz arque un sourcil douteux. DJ Lampion ouvre son sachet de surettes.

— Pis qu'est-ce qu'ils disent, dans *Potins-Police* ?

— Que la Femme à Barbe aurait probablement manigancé le coup, mais ils manquent de preuves.

— Le coup ? Quel coup ?

— L'Homme Canon a été mal tiré.

— Ah. Pis tu l'as-tu vu, le gars du cirque, toi?

— Je l'ai vu certain : il est tout le temps rendu ici !

DJ Lampion lève brusquement la tête.

— Ah ?! Pis y a l'air de quoi ?

— Un grand, avec une moustache torsadée. Habillé en cirque…

DJ Lampion avale sa surette de travers.

— Pis qu'est-ce que t'entends par « tout le temps rendu ici » ?

— Tous les jours.

— QUOI ? Il vient tous les jours ??

— Il a plusieurs morts… Au moins deux.

— C'est pas une raison pour venir tous les jours !

Straz hausse les épaules.

DJ Lampion déglutit. Ernesto lui a caché ça ?! Son Ernesto ? Tous les jours ! Il exagère, oké ? DJ Lampion regarde sa montre : ça suffit, le niaisage ! En avance ou pas, il va aller voir ce qui se passe au Phénix ! Il attrape son sac, salue Straz et file vers l'ascenseur. Au passage, il recroise Johnny Net qui sort des toilettes. Net est blanc comme un drap pis il sent le vomi, mais il n'est pas question que DJ Lampion ait de la compassion pour lui ! Si Net digère mal, c'est ben tant pis pour lui !

Pressé, l'ascenseur arrive et monte au quatrième.

D'un pas légèrement déhanché, DJ Lampion entre au Phénix crématorium (soirée festive, scratch assuré) où il trouve l'équipe de décoration en train de créer, avec des tissus jaune et marine, des angles de chapiteau. Ça s'annonce un gros party.

Il vise Gonores Minella et Frugère Lalancette mariée Sigouin devenue DaSiggi en grande discussion. Prenant sur lui devant l'épouse d'Ernesto, DJ Lampion avance, l'air de rien, en suçant ses surettes.

Les femmes ne le regardent pas. Frugère Lalancette mariée Sigouin devenue DaSiggi est enragée noir. Encore tantôt, un homme est entré au Phénix par erreur : « S'cusez... C'est où, Bleu Communication ? » Elle a failli lui sauter dessus. Elle devrait pourtant s'habituer : ça arrive toutes les semaines !

— J'en peux pu, Gonores ! J'en peux pu des putes du deuxième ! J'veux sacrer mon camp !

— *Ma !* Quelles putes du deuxième ?

— Les putes ! L'agence Bleu Communication, c'est des putes !

— *Madre santa di Gesù !* Qu'est-ce que tu dis là ?

— C'est une agence d'escortes.

— Je te défends de dire des choses pareilles, ma petite ! Je te le défends ! Il en va de la réputation du Phénix ! *Capito ?*

Frugère Lalancette mariée Sigouin devenue DaSiggi n'a pas déragé depuis hier. Ernesto a tenté de la convaincre qu'il était allé voir les escortes pour des raisons uniquement commerciales, mais elle ne le croit pas. Ça fait des mois qu'ils font plus l'amour ; il viendra pas lui faire accroire qu'il a pas de maîtresse ! Elle est pas à veille de lui pardonner, je vous en passe un papier !

— Mon mari me trompe, Gonores.

DJ Lampion sourit sournoisement en suçant sa surette.

— *Ma,* non...

— On fait même pu de sexe !

— *Madre santa di Gesù ! Non conosco niente !* Pour garder un homme, il n'y a pas mille manières, ma petite : des plats et du sexe !

DJ Lampion termine ses surettes, se verse un café.

— Les Italiennes, elles le savent : chez l'homme, il y a le ventre et le bas-ventre !

— Il est jamais chez nous ! Il a passé la semaine avec Monsieur Loyal Ferdinand LaBaffe de LaVignole !

DJ Lampion s'étouffe dans sa tasse.

Et, justement, parce que le roman est bien
fait, les portes de l'ascenseur s'ouvrent sur
Ernesto DaSiggi et Monsieur Loyal Ferdinand
LaBaffe de LaVignole qui, revenant d'un dîner
bien arrosé, rient à gorge déployée. À la vue de
Gonores Minella, Monsieur Loyal Ferdinand
LaBaffe de LaVignole, les joues cramoisies et
un grand accordéon rouge à la main, s'avance
joyeusement d'un pas aussi dansant que chan-
celant et entame gaillardement un air festif.

— Mesdames, Mesdemoiselles, Messieurs, le
Clown est triste ! Ça va mal, ça va mal ! Aurons-
nous un troisième service ?!

C'est comme ça que le directeur du
Cirque Flagada Circus apparaît devant DJ
Lampion : moustache en guidon de vélo,
sourcils démesurés, nœud papillon à pois,
veste dorée, redingote écarlate, chapeau haut
de forme et accordéon en main. Comment
rivaliser avec une redingote ? Avec un nœud
papillon à pois ? DJ Lampion, son t-shirt
vintage de Michel Louvain, son jean vert
ajusté, ses souliers en tissu multicolore et ses
cheveux peignés sur le côté en ont les larmes
aux yeux.

— Oh, Ernesto...

— Mon DJ Lampion ! Laisse-moi te présenter Monsieur Loyal Ferdinand LaBaffe de La-

Vignole, directeur et maître d'arène du Cirque Flagada Circus...

— Le plus brillant cirque de la Terre et votre client de la semaine !

— Enchanté.

— Vous êtes DJ, mon garçon ?!

— Oui. Pis c'est moi qui anime les soirées, oké ?

— Hé bien, le directeur du Cirque Flagada Circus est fier de vous annoncer que vous n'aurez pas à travailler ici cette semaine, car nous nous occuperons nous-mêmes de la musique !!

— Quoi ?

— D'ailleurs, nos musiciens s'en viennent essayer la salle ! D'un moment à l'autre, vous verrez la fine fleur de nos instrumentistes se pointer ici !

Le cœur de DJ Lampion fait trois tours de panique, ses mains commencent à trembler.

— Mais vous pourrez venir nous admirer ! Le monde entier veut admirer le fabuleux Cirque Flagada Circus !!

Le maître de cirque, pompette et bienheureux, entame une valse musette.

— Dansez, mademoiselle Gonores, dansez !

— Oh, Ernesto... Je veux te parler, oké ?

— Mais oui, mon Lampion ! Viens !

Et les voilà qui, abandonnant Monsieur Loyal Ferdinand LaBaffe de LaVignole à ses spectatrices, filent vers le bureau dans lequel ils pénètrent, et ferment soigneusement la porte derrière eux.

— Ernesto... Comment ça que je travaillerai pas samedi?

DaSiggi s'approche du garçon. L'autre, mécaniquement, narre les gestes de son amant :

— Tu glisses une main tendre sur ma joue...

Quoi? Ernesto est vraiment à voile et à vapeur?

Ça vous en bouche un coin, lecteur! Vous pensiez qu'Ernesto courait la prétentaine enjuponnée, et vous voilà désarçonné, déçu?! Pas mal comique. Vous, ça ne vous dérange pas d'envoyer mon personnage aux putes, mais vous trouvez ça choquant qu'il soit gai?! Assez macho merci!

— Mon Lampion... L'orchestre ne jouera pas toute la soirée. Tu connais les musiciens; ils sont trop gratteux et trop ivrognes pour ça! Demain, Monsieur Loyal Ferdinand LaBaffe de LaVignole t'apportera des disques de musique de cirque. Je tiens à ce que tu sois ici toute la nuit.

— Pis toute la nuit, oké?

— Promis.

— Pis c'est pas vrai que tu fréquentes les putes, Ernesto ?

— Arrête, DJ ! On dirait que c'est ma femme qui parle !

— Pis Monsieur Loyal Ferdinand LaBaffe de LaVignole, quand qu'on dit qu'il te plaît, c'est-tu comme vrai ?

Ernesto sourit.

— Tu m'attires dans tes bras. Ça me réconforte quand que tu fais ça.

Ernesto aime que son amant narre ses gestes à voix haute. Ça lui donne l'impression d'être un héros de roman.

— Tu t'excites...

Il se penche pour l'embrasser.

Soudain, la porte du bureau s'ouvre ! Les amants s'écartent. Vite (trop vite ou pas assez) et voilà la tonitruante Italienne qui s'arrête dans l'embrasure, interdite.

Qui a décidé ça ?? Qui a écrit les dernières lignes ? Vous, lecteur ?! Ne faites plus jamais ça ! JAMAIS !

— Gonores Minella ! Vous pourriez frapper avant d'entrer !

— Ma... Santa Madre... Mi scuso, Ernesto... Je ne sais pas ce qui m'a pris !

Voilà. Tout le monde est dans l'embarras, maintenant, y compris Gonores !

Elle n'a pas eu le temps de voir...

Qui sait ?

Une sorte de brouhaha s'ourdit derrière elle.

— *Ma...* Les musiciens... Les musiciens du cirque sont arrivés...

Encore un regard, puis elle referme la porte. Discrètement. Embarrassé, Ernesto dégrise.

— Merde !

— Pis comment ça, merde ?

— Écoute, mon Lampi...

— Non ! Ton Lampion, il écoute pu, oké ? T'as du fun avec les putes, pis avec les clients pis avec tout le monde, sauf qu'avec moi ! Ça fait un an qu'on se voit en cachette pis... pis... pis... Pis, si ça change pas, je vais tout dire à ta femme, oké ?

On a beau dire, les chicanes de couple ont la vie dure et le cliché facile.

— Pis pas juste ça ! Samedi, pendant ton gros party, j'vas l'dire à tout le monde qu'on couche ensemble ! Pis dans le micro !

Ernesto se hérisse.

— Tu feras pas ça !

— Pis pourquoi que je le ferais pas, oké ?

— Parce que tu perdrais ton travail ici !

— Pis quoi ? Je vais retourner voir Johnny Net ! Je l'ai vu, tantôt, pis il est prêt à faire de moi la vedette des DJ de salons funéraires n'importe quand, oké ? J'en ai assez de vivre dans le placard ! Je suis un artiste, moi, pis j'ai besoin d'exprimer mon moi pour exister !

— Écoute, mon Lampi...

Mais Lampion, le petit Lampi...

— Pis j'ai pu envie d'être petit, oké ?

... sort, froissé, passe entre Monsieur Loyal Ferdinand LaBaffe de LaVignole et ses musiciens qui suspendent à peine leur air, près de Frugère Lalancette mariée Sigouin devenue Da-Siggi qui saucissonne son boudin de hargne, devant Gonores Minella plus dubitative que scandalisée, à côté de l'équipe de décoration qui s'en fout et appuie sur le bouton de l'ascenseur qui, heureusement, s'ouvre à l'instant. Il s'y engouffre — et tient discrètement la porte ouverte, hésitant, pour laisser à Ernesto le temps de courir derrière lui avec des mots brûlants d'amour.

Ernesto y va ?

Mais non, il n'y va pas ! Il est idiot, mais pas à ce point-là ! Dépité, il laisse son jeune amant partir froissé, secoue son costume et rejoint les autres protagonistes de ce chapitre dans le grand salon. D'un sourcil interrogateur, Monsieur Loyal Ferdinand LaBaffe de LaVignole lui demande si tout se passe bien, Mesdames, Mesdemoiselles, Messieurs ?

— Le pauvre garçon est déçu, vous comprenez ; vous lui avez dit que sa présence n'était
pas nécessaire samedi…

— Mais qu'il vienne ! Qu'il vienne, Mesdames, Mesdemoiselles, Messieurs ! Qu'il se
joigne aux fabuleux musiciens de notre troupe !
Au Cirque Flagada Circus, tous les joyeux
bouffons, tous les p'tits gigolos, tous les gais
excentriques sont les bienvenus !

L'air de farandole reprend de plus belle et
la musique endiablée couvre le tintement triste
de l'ascenseur qui repart, chargé de sa petite
menace.

— Pas si petite que ça, oké ?

Le Phénix (ISO 9004)

Nos forfaits

Le Phénix
(crémations de choix et choix de crémations)
est fier de vous offrir
une gamme de forfaits raffinés
pour vos soirées crématoires.

Forfait 1 : « 5 à 7 au corps »
Musique d'ambiance
Punch maison
Craquelins de circonstance
Sourires figés et mines confites
C'est possible.

Forfait 2 : « Je m'en souviendrai »
Tapas variés
Vin cheap
Éclairage personnalisé
Soirée classique (et préférée)
des banlieusards pressés
Également offerte.

Forfait 3 : « La Glorification éternelle »
Luxueuse soirée dans un décor
refait à votre image
Éclairages d'ambiance
Menu spécial des Buffets Italiens
Musique adaptée par l'excitant DJ Lampion
Service de bar complet et exotique
Accès limité à nos spas VIP*
Équipe professionnelle
d'accompagnatrices de deuil*
Crémation haut de gamme
Pour ceux et celles qui valent vraiment
cher à vos yeux ou pour vous
qui méritez ce qu'il y a de mieux :
n'hésitez pas et offrez(-vous)
La Glorification éternelle
en cadeau !

*Réservés aux 18 ans et plus.

6 VENDREDI
EVIDENTAMENTE: TOUT IRA !

Un majestueux rideau d'entrée bleu marine, soutenu de chaque côté par des embrasses câblées jaunes munies de grappes de fausses perles ocre, orne l'entrée du Phénix (crémation secondaire, festivités extraordinaires). Les invités le franchiront tels de prestigieux artistes conviés dans l'arène circulaire du Cirque Flagada Circus et se retrouveront dans l'épicentre du chapiteau.

Depuis le plafond où elles sont accrochées en pointe, les draperies triangulaires jaune et marine s'élargissent puis descendent verticalement le long des murs. Seule la baie vitrée est libre, laissant la lumière du sud éblouir l'intérieur de la vaste pièce, s'accrocher aux urnes colorées qui s'encastrent, encore vides, dans d'étranges piédestaux de fer et de bronze torsadés. Des dizaines de lanternes multicolores, suspendues à diverses hauteurs, descendent du plafond, éclairant ici et là des balançoires, des cerceaux et des barres de trapézistes temporairement vides. Les fauteuils, recouverts de housses rouges, font des taches vives et surprenantes dans l'ensemble. Des instruments de musique, déposés dans un coin, témoignent des festivités à venir. L'odeur d'arène, quant à elle, sera livrée demain.

Ça a coûté une fortune, mais c'est magnifique !

Ernesto, sa femme et Oscar Bellemare sont réunis pour planifier le déroulement de cette soirée exceptionnelle. Ils attendent que la romancière se décide à les mettre en action.

Et vous attendez quoi ?

Ne me poussez pas dans le dos, lecteur ! C'est vendredi matin, j'en suis encore à mon premier café (une crème, pas de sucre) et je commence à m'impatienter. Dire que, si Ernesto DaSiggi avait laissé sa femme mener la baraque, j'aurais peut-être pu jouir d'un vrai héros et écrire un récit spectaculaire, voire édifiant pour l'ensemble de l'humanité ! Mais non. Dans la liste des protagonistes disponibles cette semaine, tout ce qu'il restait, c'était Ernesto

DaSiggi et sa paire de couilles qui s'embourbent royalement. Samedi s'annonce compliqué... Là, je me dis que, si Ernesto se plantait magistralement aujourd'hui, Monsieur Loyal Ferdinand Machin Chose changerait sûrement de salon funéraire et je n'aurais pas à décrire la cérémonie de demain...

Ah, non ! DaSiggi prépare quelque chose d'unique avec un concept intéressant et vous voulez nous priver de cette soirée ? Il n'en est pas question !

Pardon, lecteur ?

Il y a là un intérêt intellectuel pour un néophyte du deuil moderne...

Ah. Je crois comprendre... Vous espérez qu'Ernesto DaSiggi s'en tirera parce que vous voulez voir les putes consolatrices à l'œuvre dans le spa chaud, n'est-ce pas, lecteur ? Mais oui ! Tout s'éclaire : c'est pour ça que vous avez choisi l'option festive au chapitre de mercredi ! Hé bien, j'ai une mauvaise nouvelle pour vous : DaSiggi, c'est un antihéros. C'est dans sa nature : il ne s'en tirera pas !

Ne jouez pas les défaitistes ! DaSiggi est un protagoniste fort et il s'en tirera !

On gage ?

On gage quoi ?

Le party ! Si votre macho de DaSiggi s'en tire, je le décrirai au complet, en grand et avec force détails. Par contre, s'il se plante...

Attendez !

Doutez-vous de votre héros, lecteur ?

Non. Je tiens le pari. Mais pas d'entourloupette d'auteure !

Nous disions donc : Ernesto, sa femme, Oscar Bellemare, Gonores et DJ Lampion sont réunis pour discuter du déroulement de la soirée.

On a dit : pas d'entourloupette !!

C'est pas une entourloupette ! Gonores et Lampion sont arrivés par hasard !

Ernesto DaSiggi (traits tirés, stress flagrant, insomnie évidente) siège à la place d'honneur. Il toussote, tripote des papiers inutiles, pose un stylo superflu sur la table. Il a préparé un discours.

— Collègues, amis, préposés, romancière, lecteur et première dame (c'est ce qu'il a trouvé de mieux pour l'amadouer), vous n'êtes pas sans savoir que Le Phénix crématorium (ISO 9004) vivra un moment exceptionnel en accueillant, ce samedi, le fabuleux Cirque Flagada Circus — un contrat que j'ai moi-même (sans vouloir me vanter) décroché.

DaSiggi s'arrête. Quand il a répété ce discours devant la glace, il s'est dit qu'une pause serait tout indiquée après cette entrée en matière, ce qui permettrait à son équipe d'émettre quelques félicitations, voire de lui adresser une petite main d'applaudissements.

Mais le silence reste aussi pur et glacial que la banquise nordique qui éventra jadis le majestueux *Titanic* d'un imperturbable coup de poignard en pleine coque.

DJ Lampion boude ostentatoirement, perché sur une balançoire.

— Je trouve ça indélicat. Des instruments de musique quasiment en plein milieu de mon espace de travail ! C'est des choses qui blessent un homme ! Vous pouvez le dire, dans votre narration !

Ernesto lui a fait savoir qu'il pourrait s'occuper de la musique une partie de la nuit, mais son petit Lampion boude quand même.

— Je boude pas ! Je reste en retrait !

Gonores Minella, mine renfrognée, tripote des tasses non bénites de l'autre côté du bar. Depuis mercredi soir, Monsieur Loyal Ferdinand LaBaffe de LaVignole lui prête moins d'attention. Aurait-il rencontré une fille de petite vertu au deuxième ? Frugère aurait-elle raison ?

Frugère Lalancette mariée Sigouin devenue DaSiggi rumine quant à elle sa dernière montée en ascenseur. Elle s'est retrouvée seule à seul avec Corax, alors elle en a profité pour l'inviter au Phénix demain. Il lui a à peine répondu. Il était cerné, hagard ; encore un qui doit passer ses nuits avec les putes !

Oscar Bellemare, deux doigts en l'air depuis le début du chapitre, attend son tour de parole.

Déçu, DaSiggi hésite. Qu'avait-il préparé d'autre ?

Bellemare se racle bruyamment la gorge.

— Nous avons une question de la plus vive importance à régler.

Derrière son fauteuil couvert d'une housse rouge, on voit une machine à barbe à papa et une machine à pop-corn, choix d'extras : beurre ou caramel. Des gobelets lignés s'empilent de chaque côté, ce qui donne au croque-mort une vague allure de vendeur de bonbons. Mais la mine n'y est pas, non. Il semble indisposé, comme on dit. Depuis ce matin, il embaume le petit pain d'épice, mais son odorat ne perçoit rien, ce qui n'est pas pour lui plaire. Ce n'est pourtant pas cela qui l'achale, vous vous en doutez bien.

DaSiggi passe une main élégamment baguée dans ses cheveux.

— Oui, Oscar ?

— Nous tenons à souligner que nous n'avons pas encore obtenu de réponse officielle à la délicate question de la semaine que je répète pour la bonne compréhension de tous les personnages et lecteurs ici présents : quel sera le nombre officiel d'incinérations ?

— Pour l'instant, nous en sommes toujours à deux : le Cracheur de Feu asphyxié et la Contorsionniste décontorsionnée. Notre client, Monsieur Loyal Ferdinand LaBaffe de La-Vignole, devait nous donner aujourd'hui même des nouvelles fraîches du Clown...

— *Madre santa di Gesù !* Pas le Clown... Ce serait trop triste...

Mais Bellemare est plus professionnel que ça.

— Donc, nous pouvons conclure qu'il y aura deux ou trois incinérations. Or, qu'est-ce qui nous intéresse, nous qui sommes thanato-practeur ici même, je vous le demande ? Nous avons identifié : le four crématoire. Et que craignons-nous, concernant l'utilisation de ce four ? Qu'en introduisant un second, voire un troisième cadavre dans le four, il y ait non seulement combustion spontanée dudit cadavre, mais surtout combustion des bras du thanatopracteur et j'ai nommé Oscar Bellemare ici présent.

— *Mamma mia !*

— Pour éviter cette combustion spontanée du thanatopracteur, nous avons songé, s'il n'y a que deux corps, à faire refroidir le four entre les deux crémations. Ce refroidissement drastique risquerait d'endommager ledit four et allongerait la soirée d'une heure et demie, mais cette solution serait envisageable. Mais que ferons-nous s'il y a trois corps ?

DJ Lampion arrête de se balancer.

— Je comprends pas…

— S'il y a trois corps, il faudra faire refroidir le four deux fois !

— Ah.

— La soirée durerait donc plus de neuf heures !

— C'est sûr que c'est long, mais si on me prête des disques, moi, je peux animer un bon bout…

Faisant fi de cette intervention, Bellemare poursuit.

— La table étant mise pour notre discussion, nous voudrions rappeler à Ernesto Da-Siggi que nous lui avons demandé, cette semaine, de nous procurer un équipement adéquat nous permettant d'incinérer rapidement trois corps sans danger. Aussi allons-nous adresser cette question à Ernesto DaSiggi lui-même : as-tu fait venir les gants pompiers Figther4 de Rosting International que nous t'avons demandés cette semaine, oui ou non ?

— Non, Oscar. J'ai pas fait venir tes gants.

Frugère Lalancette mariée Sigouin devenue DaSiggi jette un œil méprisant vers son mari : sale radin, pisse-vinaigre ! Avoir su qu'il dirait non, elle les aurait commandés, les gants, elle !

— Tu as refusé d'accéder à ma demande pourtant légitime ?

— En effet, Oscar.

Gonores sert les cafés.

— *E perché ?*

— *Perché ?*

Oscar Bellemare frappe un grand coup sur la table.

— Nous allons vous le dire, *perché* ! Parce qu'Ernesto DaSiggi ne voit pas le sérieux de la profession ! Le métier de thanatologue est un métier difficile. Beau, valorisant, nous dirions même « artistique » dans une certaine mesure, car qu'est-ce que l'art ? L'art est la mise en forme esthétique de ce qui peut nous sembler banal, voire quotidien. Or, que fait le thanatologue, je vous le demande ?

— *Ma...*

— Il contribue à mettre de la beauté sur la terre ! En embaumant, en maquillant, en incinérant des corps humains destinés à la putréfaction ! C'est la raison pour laquelle la thanatologie exige des outils de qualité ! Bien sûr, le talent du thanatopracteur est essentiel pour un service bien rendu, mais l'équipement, comme dans tout art et tout métier, ne devrait jamais être négligé ! Jamais ! Bien équipé, un thanatologue est prêt à recevoir n'importe quel client en proclamant fièrement le slogan de notre Corporation : « Adviendra qui pourrira ! »

— *Madre santa di Gesù !* Vous parlez bien !

Oscar Bellemare, toujours encadré de ses gobelets de pop-corn, prend une violente inspiration.

— Or, voyez, voyez combien Ernesto DaSiggi aime mettre son thanatopracteur dans l'embarras ! Et ce n'est pas un petit embarras ! Car l'avouerons-nous ? En songeant à cela, nous nous sommes surpris, ce matin même, à espérer que le Clown du Cirque Flagada Circus survive ! Nous, Oscar Bellemare thanatologue enregistré, avons la conscience déchirée par un incroyable conflit d'intérêts !

— *Quale tristezza !*

Dramatique, Bellemare se lève.

— Si le Clown meurt, faudra-t-il mettre en péril notre sécurité ? Ah ! Être ou ne pas être thanatopracteur sans gants ce samedi, là est la question !

— Bravo ! *Madre santa di Gesù !* Qu'est-ce que c'est bien dit ! Bravo !

Sous les applaudissements enthousiastes de Gonores Minella, Oscar Bellemare salue et se rassoit. Frugère Lalancette mariée Sigouin devenue DaSiggi se tourne vers son mari.

— Qu'est-ce que tu vas faire, Ernesto, si LaBaffe de LaVignole nous annonce un troisième clown ? Incinérer toi-même ou faire durer les crémations neuf heures ?

DaSiggi ne répond pas. Il a dit non à Oscar Bellemare et il n'a pas envie de revenir sur sa décision. Le thanatopracteur mettra les corps au four ou... Ou quoi ? Il l'ignore.

Bellemare est redevenu songeur. Comment réagir à ce refus entêté ? Ajuster le four à plus basse température ? Cela produirait des émanations toxiques (sans compter que cette possibilité va à l'encontre du code de déontologie des thanatologues ; il faut incinérer le corps, pas le faire cuire, encore moins le faire bouillir !). Abaisser la température du four entre chaque corps ? S'il y a trois cadavres, cet horaire de travail dépassera le temps imparti et conventionné d'une journée normale (huit heures) d'un professionnel du deuil. Que faire? Exiger d'être payé double tarif? La mesure serait vraiment extraordinaire.

Et, justement, comme deux malheurs n'arrivent jamais seuls, voilà l'ascenseur qui tinte et Monsieur Loyal Ferdinand LaBaffe de La-Vignole, qui entre, majestueusement, dans le chapiteau. Porté par la beauté du lieu, excité par la grandeur de la cérémonie, déjà vêtu d'apparat, accordéon en bandoulière et à demi ivre, il arrive gaiement. Tête à la fête, il tourne autour de Gonores, s'arrête, fait une pirouette et annonce la grande nouvelle tant attendue :

— Un de plus, Mesdames, Mesdemoiselles, Messieurs !

— *Madre santa di Gesù !* Pas le Clown ?…

— Oui, mademoiselle ! Il a fini de faire le clown !!

Et trois accords d'accordéon !

Tout le monde se tourne vers Bellemare qui se lève et arque un sourcil.

— Vous voulez dire que le Clown est passé ? Car soyons clair : devons-nous aller chercher la dépouille, oui ou non ?

— Oui, Môôôsieur ! Mort, dépouillé, passé et trépassé, il a rendu son tablier, cassé sa pipe, passé l'arme à gauche et mangera le pissenlit par la racine pendant que nous, nous aurons une soirée trois services !

— Fort bien. Nous allons de ce pas chercher, avec notre civière Furno 24-MAXX, le corps du Clown qui sera réfrigéré ici même avant la tombée de la nuit. Puis nous nous retirerons dans nos quartiers. En ce qui concerne le sujet susmentionné, sache, Ernesto DaSiggi, que nous, Oscar Bellemare thanatologue enregistré, n'avons qu'une parole : la sécurité avant tout !

Froidement, le thanatopracteur vous salue et quitte le chapitre.

Frugère Lalancette mariée Sigouin devenue DaSiggi est furieuse : trois morts et son gratteux de mari refuse de payer une paire de gants ?! Si elle avait épousé un homme comme Louis Corax, les choses iraient autrement, je vous en passe un papier !

D'un grand geste, Monsieur Loyal Ferdinand LaBaffe de LaVignole souligne le départ du croque-mort et se tourne, interloqué, vers le maître de séant.

— DaSuigi ? Tout ira ? N'est-ce pas ?

Ernesto craque un sourire.

— *Evidentamente* : tout ira !

— Ah. Tant mieux, tant mieux !

Le maître d'arène pose son accordéon et rejoint le centre de la piste. Vêtu d'une queue-de-pie orangée aux boutons dorés, il examine les lieux.

— J'ai pensé que le Cirque Flagada Circus pourrait profiter de la soirée pour présenter nos nouvelles contorsionnistes ! Vous n'en croirez pas vos yeux, DaSuigi ! Les Jumelles Costaudes de l'Allemagne de l'Ouest présentent une souplesse légendaire, Mesdames, Mesdemoiselles, Messieurs ! Étonnante et directement improportionnelle à leur spectaculaire corpulence anatomique (sans offense pour madame Gonores) !

Gonores Minella serre violemment sa tasse : il l'a appelée « madame »...

— Et puis, je voulais vous demander votre avis...

Monsieur Loyal Ferdinand LaBaffe de LaVignole s'approche de la table, vacille un pas vers la droite, s'affale sur un fauteuil écarlate et se penche, confident, sur l'oreille de DaSiggi.

— Il y a des membres des familles biologiques qui veulent venir aux obsèques ! Vous imaginez ? Notre belle soirée pourrait être encombrée d'un bataillon de vieux messieurs aux habits antédiluviens et de vieilles dames tout droit sorties des bigoudis qui viendraient faire rouler leur marchette ici ? Nous qui voulons inviter la fine fleur du milieu artistique, devons-nous vraiment nous encombrer de vieilles arrièregrands-tantes ridées? D'ancêtres boiteux? Sommes-nous forcés de nous y soumettre?

— Bien sûr que non, Monsieur Loyal...

— Tant mieux, tant mieux!

Le directeur du cirque pose ses grandes mains très baguées sur la table, bombe son torse orangé à en faire exploser ses boutonnières et, ignorant les mines renfrognées, le voilà qui poursuit son élan.

— Ce sera gai, vous verrez! J'ai envoyé des invitations partout! Il y aura les journaux, la radio, la télévision... Nous leur avons demandé de venir vers dix-neuf heures, quand la fête commence à s'endiabler et que les invités sont encore capables de tenir debout.

DJ Lampion fusille Ernesto du regard. La télévision! La radio! Dire qu'il pourrait profiter de tous ces médias pour faire mousser sa carrière!

— Avec le talent que j'ai, je vais peut-être retourner voir Johnny Net pis devenir une grosse vedette pis quand que Ernesto verra ça, il le regrettera, oké?

Il ronge et rumine son frein pendant que Monsieur Loyal Ferdinand LaBaffe de La-Vignole, emporté par sa propre valse, se hisse hors de son fauteuil et tourbillonne de plus belle dans le grand salon du crématorium.

— Les instruments dans ce coin, c'est parfait ! Nous avons prévu une entrée de trom-
pettes ! Vous verrez les artistes du spectaculaire
Cirque Flagada Circus exécuter pour vous des
acrobaties musicales palpitantes !

DJ boudeur Lampion se lève. Carrément.

— Assez, c'est assez !

Monsieur Loyal Ferdinand LaBaffe de La-
Vignole se tourne vers lui.

— Mais… à quel sujet, mon enfant ?

— Je… Je… J'attrape mon sac et je sors de la
tente de carnaval, oké ?

Aussitôt dit, aussitôt fait.

On l'a entendu taper à plusieurs reprises
sur le bouton de l'ascenseur, puis quitter.

Livide, Ernesto n'ajoute rien. Son jeune
amant le dénoncera-t-il publiquement demain ?
Pire : retournera-t-il voir Johnny Net ?

Frugère Lalancette mariée Sigouin devenue
DaSiggi, surprise dans sa rêverie par le départ
précipité de Lampion, fronce le sourcil. Qu'est-
ce qu'elle ignore, encore ? Monsieur Loyal Ferdinand LaBaffe de LaVignole, à cent lieues de
tout ce bordel, vient de découvrir la machine à
barbe à papa ! Il s'en ferait volontiers une petite…

— Et nous mangerons bien, n'est-ce pas,
mademoiselle Gonores ?

— *Evidentemente !* Les Buffets Italiens vous ont préparé toutes sortes de gâteries ! Il ne nous reste qu'à régler une petite affaire avec M. Da-Siggi *e tutto sarà finito*, n'est-ce pas, Ernesto ?

Ernesto les avait complètement oubliés, elle et son curé. Il lève les yeux au ciel, exaspéré. Monsieur Loyal Ferdinand LaBaffe de La-Vignole considère une fois de plus le patron du Phénix (ISO 9004) avec inquiétude.

— DaSuigi ? Tout ira, n'est-ce pas ?

— *EVIDENTAMENTE* : TOUT IRA !

— *Non si fate...*

— Quel accent splendide ! Ah ! Mademoiselle Gonores, vous êtes l'âme du Phénix !

Jaloux, Ernesto la regarde.

Ce n'est pas la première fois que Gonores Minella lui vole la vedette. Une fois, elle était entrée au moment où lui-même et Frugère Lalancette mariée Sigouin devenue DaSiggi palabraient avec les héritiers d'une célèbre chanteuse décédée la semaine précédente. Pendant que les époux DaSiggi présentaient les diverses possibilités de soirée, les enfants de feue la vedette, cupides et impatients, magasinaient au moins cher. Gonores Minella avait plus ou moins discrètement écouté la conversation.

— Un 5 à 7, avec deux assortiments de plats, ce sera bien assez ! disait la bru.

— On n'a peut-être pas besoin d'un DJ…, arguait la fille.

— Ni de décor…, ajoutait le fils.

Des phrases dans ce genre-là, voyez.

— *Madre santa di Gesù* !

D'une violente claque sur le comptoir, elle était intervenue.

— Comment ça, pas besoin de décor ni d'un DJ ni d'une belle soirée ? *Ma* de qui on parle ici ? De votre *mamma* ! De la *mamma* qui vous a nourris du lait de son sein ! Qui vous a fait cuire le pain ! Qui vous a mouché le nez ! On parle de la *mamma* qui vous a enseigné la *vita* !

— Madame, ceci ne regarde que la famille.

— *Ma* vous êtes qui, vous ?

— La bru ! J'suis la bru de la défunte !

— La bru ! *Ma* ! Mon pauvre garçon ! *Disgraziati* ! Comment as-tu pu choisir une femme qui honorerait si peu ta mère ? Parce que ta *mamma*, elle a accueilli ta petite amie à la maison, elle lui a servi à manger et a lavé la vaisselle, n'est-ce pas ? Elle a prié pour elle et voilà comment cette femme veut la remercier ?

Elle s'était tournée vers le propriétaire du Phénix qui, comme d'habitude, était pétrifié devant autant d'ardente solidité.

— Ernesto, amène cette bru prendre un café en bas. *Andate !*

Elle les avait poussés vers l'ascenseur et s'était installée près de Frugère Lalancette mariée Sigouin devenue DaSiggi devant les enfants légitimes.

La fille s'était mise à pleurer, honteuse et endeuillée.

— *Ma !* Tu vas pas te mettre à pleurer, maintenant ?! *Incredibile !*

Elle avait sorti un mouchoir en tissu de sa vaste poitrine et l'avait tendu à la fille.

— *Bene.* On oublie ça. Maintenant, on va préparer une grande fête pour la *mamma.*

Juste avant d'entrer dans l'ascenseur, Ernesto les avait vus : ils avaient dit oui.

Jusqu'ici, Gonores Minella ne l'a pas vraiment dérangé, mais, aujourd'hui, Ernesto DaSiggi trouve qu'elle prend pas mal de place et, comme un coq qui, au cœur de la basse-cour, se rappelle qu'il a le droit de chanter le cocorico de sa virilité, il se lève et avance vers son client, question d'intervenir dans la conversation.

— Quant aux crémations...

Monsieur Loyal Ferdinand LaBaffe de La-Vignole regarde l'hôte, surpris.

— Les crémations ?

— Les incinérations de vos artistes du Cirque Flagada Circus...

— Ah, oui ! Bien sûr ! Où avais-je la tête ? Qui a vécu par le feu périra par le feu !

— Elles ponctueront la soirée.

— Et votre bar offrira des drinks colorés, j'espère ? D'ailleurs, on peut boire un verre ?

Gonores se redresse et se dirige vers le bar.

— *Si, si,* je vais vous servir...

— Les dernières cendres devraient sortir du four vers une heure trente du matin...

— Le Cirque Flagada Circus aimerait écrémer les invités vers vingt-trois heures, question de passer à la partie plus intime de la soirée. D'autant plus que j'arrive tout juste du deuxième étage où M\ll\e Agathe m'a assuré que les filles monteraient avec joie ! D'ailleurs, nous soupons toujours ensemble ce soir, monsieur DaSuigi ? Car j'ai...

Gonores Minella a échappé un verre, Frugère Lalancette mariée Sigouin devenue DaSiggi s'est redressée d'un coup.

— Ernesto, faut que je te parle ! Tout de suite ! Dans ton bureau !

— Oh là là ! Mon cher DaSuigi, allez-y ! Allez-y ! Ce que femme veut, l'homme le fait, mon cher Ernesto, n'est-ce pas, madame Gonores ?

Et, pendant que Monsieur Loyal Ferdinand LaBaffe de LaVignole attrape son accordéon et entame un petit quadrille pour une Gonores Minella nettement refroidie, Ernesto suit son épousée dans le bureau, ferme la porte et...

— Frugère, calme-toi...

— Non, je me calmerai pas !

— Chérie...

— Y en a pas de « chérie » !! Je le sais pas à quoi tu joues, avec ton p'tit look de mafioso, Ernesto DaSiggi, mais tu me piqueras pas mon crématorium de même !

— Ton crématorium ?

— Oui, mon crématorium ! Je te rappelle que j'ai financé le tiers du Phénix avec l'héritage à mon père !!

— Chérie, tu dis n'importe quoi !!

DaSiggi se tourne vers le lecteur, gêné.

— Elle dit n'importe quoi...

— N'importe quoi ?

Frugère Lalancette mariée Sigouin devenue DaSiggi se tourne aussi vers le lecteur.

— La boucherie de son père était endettée jusque-là quand le bonhomme est mort pis, si j'avais pas été là, y aurait jamais pu ouvrir Le Phénix !

— ISO 9004.

— Pis je parle même pas des *chops* de porc pas fraîches ! Parce que j'imagine qu'il vous l'a pas dit, ça non plus, hein ? Quand les contrôles sanitaires sont passés, ç'a été sa fête !!

— Frugère...

— Ils l'ont obligé à fermer la boucherie !

— Ça suffit !

— Pis là, on sait ben : parce que Monsieur a des habits neufs, y pense pouvoir se faire le gros client tout seul !

Elle revient vers lui.

— Non, ça suffit pas ! Qui c'est qui a eu l'idée des décorations adaptées ? Pis des urnes artistiques ? Qui qui est allé chercher la subvention pour le spa écoénergétique ? Qui qui a eu l'idée de rendre le projet international ?

— Chérie...

— Pis tu prends des décisions sans moi !?

Il revient aussi vers elle.

— Arrête !

— On va la faire, ta p'tite soirée de cirque, mais je veux pas voir les putes icitte, c'est-tu clair ?!

Elle s'approche dangereusement de son mari.

— Je sais que tu couches avec eux autres...

— Je te jure que non ; j'ai emmené Monsieur Loyal Ferdinand LaBaffe de...

— Si tu sors avec ton client ce soir...

— Fru, j'ai promis à Monsieur Loyal Ferdinand LaBaffe de...

— Si t'annules pas...

Soudain, un bref regain de fierté mal placée attrape DaSiggi qui, se souvenant que nous l'observons tous, bombe le torse.

— J'annulerai pas !

— Ben, tu couches pas à maison c'te nuitte !

— Ok.

Surprise, Frugère Lalancette mariée Sigouin devenue DaSiggi recule d'un pas.

— Pis demain, pendant ton petit moment intime, attends-toi à c'que la brigade des mœurs débarque dans ton Phénix !

— La brigade des mœurs ? T'es folle ?

— Y en aura pu de putains dans l'Orphéon ! Je t'en passe un papier ! Ni pour toi ni pour Corax !

— Quoi ?

— J'me comprends !

— Tu feras pas ça !

— Pourquoi je le ferais pas ?

— Parce que tu serais aussi pénalisée que moi…

— Je mettrai le scandale sur ton dos pis je repartirai le salon à ma façon ! Vous allez ben voir que j'ai pas besoin de vous autres pour être riche pis voyager !

— Tu veux voyager ? Ben vas-y, ma Frugère ! Va au diable !

Ernesto DaSiggi ouvre la porte et file rejoindre son client. Frugère Lalancette prochainement divorcée Sigouin et DaSiggi sort du bureau, du Phénix, de l'Orphéon, de la rue et du quartier, du livre en claquant toutes les portes, même celles qui sont fermées !

Monsieur Loyal Ferdinand LaBaffe de La-Vignole compatit.

— Ah, les femmes !...

— Mon père disait toujours qu'il ne fallait jamais n'en avoir qu'une seule...

— Alors, venez ! Allons en trouver d'autres !

Ignorant Gonores Minella, Monsieur Loyal Ferdinand LaBaffe de LaVignole reprend son accordéon et, jouant un air endiablé, il file vers l'ascenseur, entraînant DaSiggi vers le deuxième étage où la fête (et la belle Agathe !) l'attend ! Juste avant de sortir, il s'arrête brusquement.

— Mais dites-moi, DaSuigi ? Tout ira ? N'est-ce pas ?

— *Evidentamente* : tout ira !

— Tant mieux ! Je suis heureux que vous me le confirmiez ! Heureux pour vous, monsieur DaSuigi, évidemment.

— *Evidentamente !*

Les portes de l'ascenseur s'ouvrent, les hommes y entrent et on entend faiblement le tintement du départ, couvert par le retour de l'accordéon endiablé de Monsieur Loyal Ferdinand LaBaffe de LaVignole.

Laissant les hommes partir devant, Gonores secoue la tête, ramasse les tasses et ferme le chapitre.

VLB éditeur vous propose un intermède publicitaire

Alors, lecteur, que pensez-vous du roman *Crématorium Circus* ? Enlevant, n'est-ce pas ?

Monsieur Loyal Ferdinand LaBaffe de La-Vignole sera-t-il satisfait, émerveillé, époustou-flé, soufflé par la cérémonie funéraire des ar-tistes du Cirque Flagada Circus ? Vivra-t-il une nuit époustouflante auprès des Jumelles Costau-des, de Gonores Minella et de la grasse Agathe ?

Les Buffets Italiens accepteront-ils de livrer les victuailles comme prévu même si les corps ne sont pas bénis ?

Oscar Bellemare acceptera-t-il d'incinérer les trois corps s'il n'a pas enfilé les gants Figther4, de Rosting International, ces gants pompiers cinq doigts (pouce opposé rapporté avec mon-tage aiguillette) qui sont équipés d'un renfort-dos et d'un protège-artère en fleur bovine hydrofuge et antichaleur, doublure interlock para-aramide, élastique de serrage poignet par velcro anticoupure, fabriqués pour vous pro-téger, utilisables toute l'année durant ?

DJ Lampion sèmera-t-il la zizanie, la confusion, voire le scandale au sein du couple

DaSiggi et de la fiesta mondaine en expulsant
Ernesto DaSiggi hors du placard dans lequel il
l'a lui-même entraîné ?

Frugère Lalancette mariée Sigouin devenue
DaSiggi alertera-t-elle la brigade des mœurs
pendant que les escortes réchaufferont les eaux
des bains scandinaves ? Mais alors, qu'advien-
drait-il de l'agence Bleu Communication[1] ?

Et Ernesto DaSiggi ? S'en tirera-t-il ? Sau-
vera-t-il sa peau et son Phénix ?

La romancière gagnera-t-elle son pari ou
devra-t-elle décrire la soirée crématoire de
samedi ?

Pour tout connaître de cette fabuleuse histoire, Mesdames, Mesdemoiselles, Messieurs
et lecteur, laissez-vous tenter par les pages qui
viennent !

Lisez la suite trépidante de ces aventures !

Ne manquez pas le prochain chapitre !

---

1. Pour rencontrer en toute intimité les escortes du
deuxième étage, procurez-vous dès maintenant le roman
Coïts, de Véronique Marcotte !

Votre invitation au repas du Seigneur

Mesdames, Mesdemoiselles, Messieurs,
le fabuleux, l'extraordinaire, l'incroyable
Cirque Flagada Circus,
connu de par ce monde
et attendu impatiemment
dans les contrées encore inconnues,
vous convie à une soirée hors du commun !

Notre grande boum festive
célébrera l'arrivée de deux acrobates
étonnantes au sein de notre grande famille !
Les Jumelles Costaudes
de l'Allemagne de l'Ouest !

Pour l'occasion, nous incinérerons
trois de nos plus fabuleux artistes dont
les décès spectaculaires ont fait la une
de tous les journaux :
notre Contorsionniste,
notre Cracheur de Feu
et notre Clown !

La crème de la crème des artistes
du Cirque Flagada Circus
viendra offrir, en cet honneur,
des numéros savoureux, cocasses,
saugrenus, inattendus :
petites pépites d'éternité
nappées d'audace et d'irrévérence !

Au programme de la soirée :
17 heures
Accueil musical avec les splendides
musiciens du Cirque Flagada Circus !
Première incinération, apéro
et petites bouchées coquetèle.
Nous profiterons de ce moment grandiose
pour vous dévoiler les surprises de notre
prochaine saison : nouveaux artistes,
numéros renouvelés !

19 h 30
Sortie de cendres et seconde crémation
accompagnées de performances
scéniques enlevantes.

Buffet coloré arrosé de grands crus
français et italiens.

Annonce des gagnants du concours
« Devenez acrobate d'un soir ».

22 heures
Sortie de cendres et troisième incinération.
Ouverture de la section VIP.
Et, bien sûr, party, party, party !

Profitez-en !
C'est peut-être votre dernière occasion
d'avoir du plaisir avant votre propre décès !

* * *

Tous nos produits dérivés seront
en vente dans le hall de l'Orphéon.
L'entrée est gratuite et un verre de champagne
sera offert avec tout achat de 40 $ et plus.
Tenue de ville et jupes seyantes exigées.

Fermeture des portes (grand public)
à 23 heures.

7 SAMEDI
ET QUE LA FÊTE COMMENCE !

Le seul qui a bien dormi, cette nuit-là, c'est Monsieur Loyal Ferdinand LaBaffe de LaVignole. Heureux, satisfait, repu, enthousiaste et vigoureux, le directeur, propriétaire, maître de cérémonie du fabuleux Cirque Flagada Circus et client de la semaine ouvre un œil pimpant sur ce samedi crématoire. Qui aurait pu lui prédire que la perte de trois vieux artistes aux costumes miteux l'amènerait à faire la rencontre de Gonores Minella, de la grasse Agathe et des Jumelles Costaudes ? Tout cela dans la même semaine, Mesdames, Mesdemoiselles, Messieurs ! Il a fait nettoyer son plus bel habit, a redoré son accordéon, poli son sceptre le plus royal et s'apprête, roi du bal, à mener la foule de ses spectateurs enthousiastes dans des délires de bonheurs euphoriques tels qu'on n'en connut jamais ni ici ni dans les autres mondes! Ah, si Ernesto DaSiggi tient promesse, Monsieur Loyal Ferdinand LaBaffe de LaVignole en fera un homme riche!

Les autres ont à peine somnolé — chacun ayant glissé sous son oreiller le pied-de-biche de sa menace, entrouvrant ainsi la porte du sommeil sur le rayon douloureux du cauchemar malsain.

Ernesto DaSiggi, lui, n'a pas fermé l'œil de la nuit. Assis sur une chaise de carnaval bien rouge, il a réfléchi à son affaire. À peine six heures. Il s'observe dans le miroir du bar où, dernièrement encore, il admirait ce nouveau costume si bien repassé... Le soleil lui fait des cadeaux dont il n'arrive pas encore à profiter. Il est fripé, la barbe longue, l'odeur pas fraîche, le sable au coin des yeux. Et quoi encore? Ne rentrons pas dans les détails, mais disons juste, pour la bonne compréhension du lecteur, qu'il est à peine vêtu d'un caleçon douteux.

Que faire?

Il ne me reste que peu de temps avant la cérémonie... Qui dois-je envoyer à la rencontre de DaSiggi, ce matin? J'hésite. Patrick Senécal dit qu'une horde de zombies arrange toujours un roman, Geneviève Jannelle croit qu'il serait l'heure du télégramme chanté, question de faire tomber (ou croître ?) la tension... Pour mettre toutes les chances de mon côté et pour que cette histoire s'achève avec grâce et élégance (nous sommes au Phénix crématorium, après tout), je crois quant à moi qu'une poigne ferme, féminine, solide et décidée s'impose. Aussi vais-je définitivement prendre ce récit en main et appeler Gonores Minella par le premier ascenseur.

— *Madre santa di Gesù !*

DaSiggi sursaute.

— Madame Minella ?!

— *Ma !* De quoi as-tu l'air, Ernesto DaSiggi ?

— Madame Minella, ce n'est pas le moment !

— *Ma si*, c'est le moment ou jamais...

Il enfile un pantalon. Ça va toujours mieux, mettre une femme à la porte quand on a, au minimum, enfilé un pantalon ; pas besoin des conseils d'un boucher de père pour savoir ça !

— Madame Minella, sortez du Phénix !

— Sortir d'ici ? *Che è ciò che mi dici ?*

— Vous vous immiscez dans mes affaires et j'en ai par-dessus la tête !

— Tu ne parles pas très bien italien, *non è non questo*, Ernesto DaSiggi ?

— Non, je ne parle pas italien, parce que mes parents...

— Parce que tes parents n'étaient pas italiens !

Sigouin recule. Gonores Minella, très digne, marche lentement vers les nouvelles urnes qu'elle apprécie du regard.

— Ce n'est pas difficile à savoir, quand on vient d'Italie, que DaSiggi est un nom inventé.

Sigouin est muet. La romancière lui envoie Gonores Minella pour le mettre dans le pétrin, c'est clair.

— Vous savez, la communauté italienne d'ici, elle est comme *una famiglia* ! Et, dans la *famiglia*, on sait qui est la boulangère... et qui est le boucher, monsieur Sigouin !

Que voudriez-vous qu'il dise ?

— C'est une jolie arnaque tout ça, Ernest Sigouin...

Il enfonce les mains dans ses poches, la regarde.

— Oui, pis ? Qu'est-ce que vous voulez, madame Minella ?

— Je viens te proposer un arrangement.

— Encore votre histoire de curé ?

— Mon histoire de curé ?

Elle sourit.

— Tu sais, j'ai toujours rêvé de pouvoir m'occuper d'un endroit aussi chic que ton Phénix...

— Vous occuper du Phénix ? Vous ?

Ernest Sigouin ricane.

— Vous pensez pouvoir vous occuper du Phénix ? Vous ? Vous avez rien compris ! J'y ai longuement réfléchi, la nuit dernière... Vous savez, madame Minella, les vrais clients du Phénix, ce ne sont pas les héritiers pleurnichards que vous consolez maternellement, mais des gens de culture. Ces gens-là, ils ont de la classe, du goût...

DaSiggi attrape une chemise fripée, l'enfile, replace le col et la boutonne en se regardant dans le miroir du bar.

— Croyez-vous qu'ils ont envie de faire affaire avec une femme ? Non. Savez-vous pourquoi ? Parce que les femmes, vous y connaissez rien ! Avec qui le client authentique et moderne a-t-il envie de discuter ? Avec une décoratrice ? Une boulangère ? Non ! La p'tite romancière a beau tout organiser pour tenter de...

Pardon ?

— Une « p'tite » romancière, oui ! Et pas très futée ! Vous vous chicanez avec le lecteur, vous me mettez dans le trouble, vous prenez le parti de Frugère...

C'est faux !

— Ah oui ? Et qui est-ce qui a signé l'article, dans *Féminine Engeance* ? Une revue de féministes frustrées et castratrices ! Avec des femmes comme vous autres, n'importe quel gars virerait gai !

Hé bien, la « p'tite » romancière...

Lecteur, commencez pas !

On dirait que vous allez devoir décrire le party...

— *Madre santa di Gesù*, ça suffit ! Ne t'en fais pas, ma petite : je m'en occupe !

Vas-y, Gonores Minella ! Vas-y !

Dignement, la forte Italienne va s'asseoir confortablement à la chaise d'honneur qu'hier encore, Ernesto DaSiggi occupait si bien...

— Ernest Sigouin... Ton thanatologue est fâché, ta femme est fâchée, ton amant est fâché et la romancière est fâchée. *Madre santa di Gesù !* Imagine : si moi aussi je me fâchais, ça irait bien mal pour Le Phénix — et pour toi —, non ?

Sigouin arque un sourcil narquois.

— Vous êtes venue pour ça ? Me rappeler les menaces qui pèsent sur mon salon ? Ou pour ajouter votre petite menace à celles des autres ?

— Ma « petite » menace... *Madre santa di Gesù*, mon ami, tu sais ce qu'il en coûte à un homme qui n'est pas italien de se faire passer pour tel, dans notre communauté ? D'emprunter sans le demander une identité italienne ? Tu veux vraiment que j'en parle à ma *famiglia* ? Ma « petite » menace, Ernest Sigouin, elle ferait brûler Le Phénix (tout ISO 9004 qu'il est) et l'Orphéon au complet en un claquement de doigts !

À cet instant précis et pour la première fois de sa vie, Ernest Sigouin expérimente ce que les termes « grande sudation » veulent dire. Et « déglutition pénible »...

— Qu'est-ce que vous voulez ?

— Ce que je veux ? *Ma*, je ne dirais pas non à un café...

Sigouin hésite.

— Finis de t'habiller, Ernest Sigouin, et va me préparer un café ! Nous allons discuter.

C'est ainsi que l'après-midi même, contrairement aux habitudes du Phénix (crémation chrétienne, prêtre catholique), on vit entrer une soutane italienne au quatrième étage de l'Orphéon. Toutes les urnes furent bénites, ainsi que les corps d'un Cracheur de Feu, d'une Contorsionniste et d'un Clown. C'est ainsi également qu'on vit Le Phénix (crémation d'ici, exposition internationale) ouvrir un département italien à Pomposa, département supervisé par Mme Frugère Lalancette divorcée Sigouin pensionnée DaSiggi, qui fait des ravages, raconte-t-on, chez les veufs joyeux.

Ernest Sigouin, lui, a accepté de rester gérant, sous les ordres de Mᵐᵉ Minella, nouvelle propriétaire du Phénix crématorium (buffet garni, soirée italienne). Ça lui laisse, entre autres, la chance de profiter des bains scandinaves en compagnie d'un certain DJ Lampion – qui, lui, projette d'aller faire mousser sa carrière ailleurs, depuis que DaSiggi n'est plus le patron ici...

Monsieur Loyal Ferdinand LaBaffe de LaVignole, heureux de ses fabuleux artistes plus extraordinaires que jamais, a repris, paraît-il, sa liaison secrète et mouvementée avec la Femme à Barbe, mais l'histoire n'en dit pas plus long.

La romancière, elle, a gagné son pari, puis est retournée à la rédaction de *Féminine Engeance*.

Quant à Oscar Bellemare, il travaille désormais avec d'excellents gants hyperprotecteurs (qu'on retrouve également dans les cuisines des Buffets Italiens). Ce matin, vous auriez pu le croiser au Café Clochette. Il revenait des Laboratoires Odosenss. Il a publié, sur le sujet de l'olfaction, un article déchirant d'humilité dans *Thanatologue pour la Vie* qu'il a ostensiblement laissé traîner sur une table. Il espère vaguement que Straz le lira et qu'ils établiront ainsi un premier contact intime. Bien que le goût du café lui plaise moins qu'avant, il s'est forcé pour en prendre une tasse et a quitté l'Orphéon d'un pas soucieux.

Post mortem

Les services funéraires, on le sait, ça coûte tout le temps les yeux de la tête et la peau des fesses. Sous prétexte que votre cérémonie d'adieu doit être grandiose, les croque-morts vous arnaquent en exploitant honteusement votre portefeuille.

Vous qui êtes moderne et authentique, vous faites preuve d'une grande générosité, certes, mais êtes proche de vos sous, c'est normal.

Alors vous vous demandez : « Combien, mais combien une cérémonie funéraire pareille coûte-t-elle ? »

Je me tue à vous le dire, lecteur : ce n'est pas une cérémonie funéraire, mais juste un petit roman québécois de rien du tout. Une farce. Et, puisque vous avez dû vous imaginer la dernière scène tout seul, on ne vous chargera pas trop cher.

Pas plus que 19,95 $. Taxe fédérale en sus.

Supplément gratuit

Thanatologue pour la Vie
Chronique : « Un service en attire un autre »

Retrouver l'odorat, c'est possible (mais est-ce souhaitable ?)
par Oscar Bellemare, thanatologue enregistré.

Thanatopracteurs, collègues du scalpel, camarades de la tuyauterie funèbre, c'est à vous que nous, Oscar Bellemare, thanatologue enregistré et membre 210-1052-5.a de la Corporation des professionnels du deuil, souhaitons nous adresser aujourd'hui.

Vous avez tous lu, confrères du formaldéhyde, l'aveu public que nous, Oscar Bellemare, avons signé il y a quelques mois, concernant notre situation de non-odorant, aveu dans lequel nous explicitions les moyens en cours pour remédier à ce pénible handicap (pour lequel certains d'entre vous ont d'ailleurs demandé – sans succès il est vrai – une reconnaissance juridique qui aurait donné accès à divers types d'aides – groupes de soutien, mesures fiscales, service de réadaptation, vignette automobile, etc. – gouvernementales).

Le hasard étant inattendu, c'est par inadvertance que nous-même, Oscar Bellemare ici
signant, avons retrouvé dernièrement l'usage
complet de notre nez.

En effet, lors de la cérémonie funéraire du
célèbre Cirque Flagada Circus au Phénix crématorium (ISO 9004), le maître de séant
aspergea généreusement les lieux d'une odeur
de cirque (Laboratoires Odosenss, fabricant).

Le cirque ! Comment n'y avions-nous pas
pensé plus tôt ? Parfums de fauve, de sueur
d'acrobates, relents de poudre à canon, fumet
de pop-corn au caramel, effluves de barbe à
papa, émanations de couches de bambins
morveux... Quelle ne fut point notre surprise de sentir ces odeurs, de les décortiquer
et de nous en gaver tel un enfant gourmand
dans une boutique de sucreries viennoises !
Depuis, nous odorons avec une stupéfaction
constamment renouvelée les fragrances du
quotidien.

Mais voilà qu'un embarras profond nous
assaille, car nous, Oscar Bellemare, en tant
que professionnel du nettoyage cadavérique,
nous exerçons notre métier avec soin (et ne
nous le cachons pas : avec dévouement). Or, si
ce métier a un jour exigé que nous perdions
l'odorat afin de pouvoir l'exécuter avec autant

de doigté, ne sera-t-il pas dorénavant incommodant d'avoir retrouvé notre olfaction ?

Car la vérité, frères de la plomberie humaine, c'est qu'il arrive que la mort pue, que la décomposition empeste, que ça sente même « dégueulasse ». Et alors, comment pourrons-nous approcher de nouveau des corps en putréfaction sans avoir ce vulgaire haut-le-cœur que l'homme du commun, le profane, ressent en pareille circonstance ? Voilà où, meurtri, nous sentons que le bât nous blesse : au-delà des joies enfantines que nous souhaitions naïvement retracer par la redécouverte de l'odorat, nous constatons (amèrement) qu'être non-odorant était, pour nous, non seulement un privilège, mais la preuve incontestable de notre professionnalisme.

Aussi entreprenons-nous cette semaine une nouvelle démarche auprès des Laboratoires Odosenss afin de créer un choc olfactif qui nous permettra (c'est ce qu'ardemment nous souhaitons) de retrouver notre situation de non-odorant. Nous vous tiendrons évidemment au courant des résultats.

Table des matières

Merci

Merci à ma famille et à mes amis qui m'endurent, me lisent et m'encouragent — qui rient de mes jokes plates et font semblant de me trouver drôle.

Merci à Martin Balthazar de m'avoir invitée dans l'Orphéon ; à Stéphane Dompierre, à Geneviève Jannelle, à Véronique Marcotte, à Patrick Senécal, qui savent si bien manger, boire et travailler en même temps ; à Martin Bélanger, qui lit tout ça sous le soleil de juillet, et à toute l'équipe de VLB, qui travaille si bien.

Merci à C.L., même si elle est pourrite dans les batailles de fusils à eau !

Merci à la famille Omer Landreville et fils, de Joliette, pour son patrimoine thanatologique.

Merci à Pierre-Luc pour tout ce qui ne s'écrit pas dans un livre.

Merci à vous, lecteur, d'avoir participé à ce roman.

Catégorie : Emplois divers

Cirque fabuleux et international cherche Homme Canon

Nombre de postes à combler : 1
Numéro de l'offre : 0000002
Employeur : Cirque Flagada Circus

Lieu de travail : Arène (canon).

Principale fonction : Se faire canonner.

Exigences particulières : S'enligner correctement est essentiel.
Savoir porter du lycra avec élégance et attacher son casque
solidement sont des atouts. Allergique aux animaux s'abstenir.

Nombre d'heures de travail : 10 minutes par semaine.
Dangerosité : Ne vous inquiétez pas.
Salaire : À discuter, selon votre expérience.

Cet ouvrage composé en MrsEaves corps 13,5 a été achevé d'imprimer au Québec
en mars deux mille treize sur papier Enviro 100 % recyclé
pour le compte de VLB éditeur.

100%